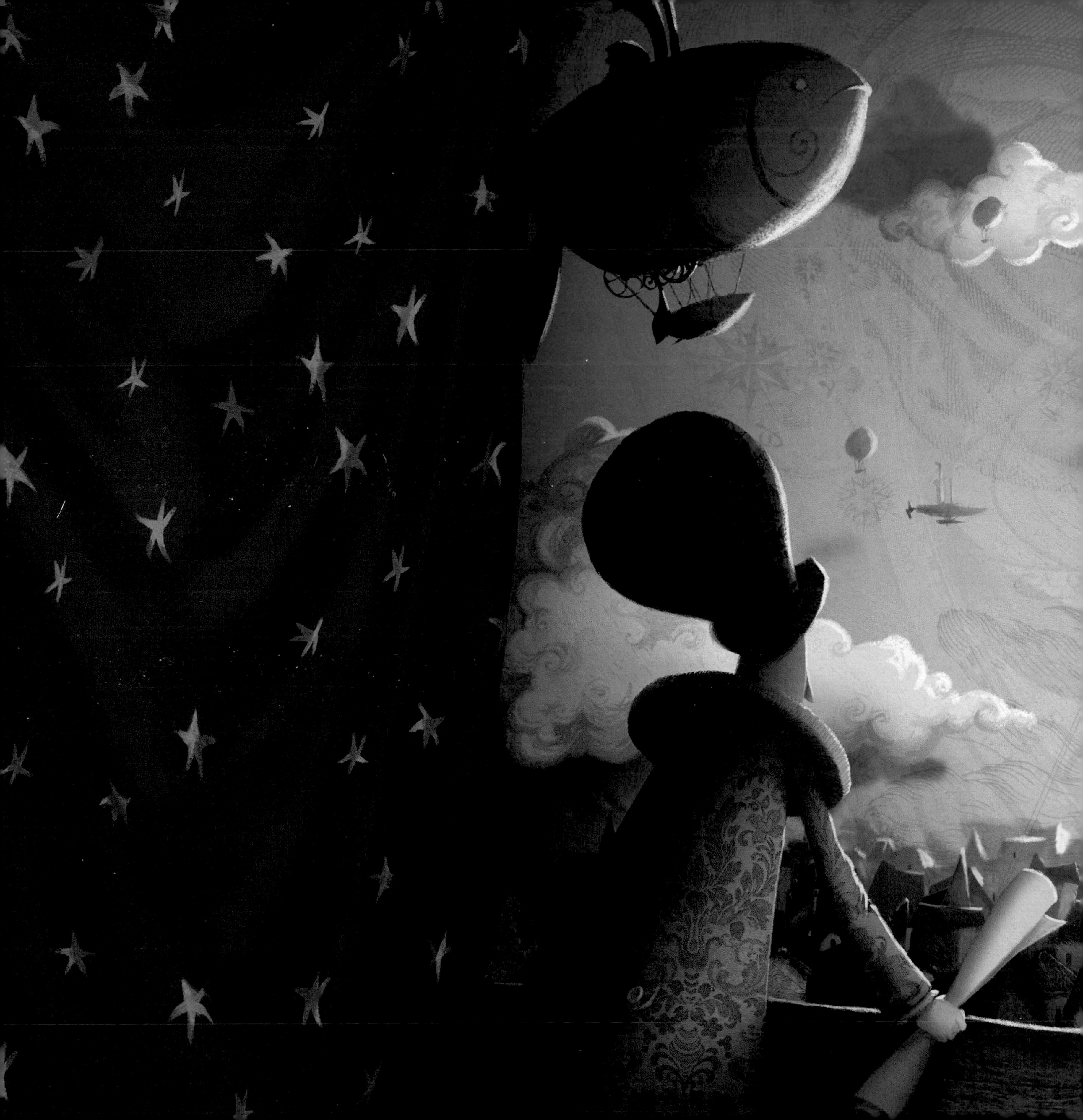

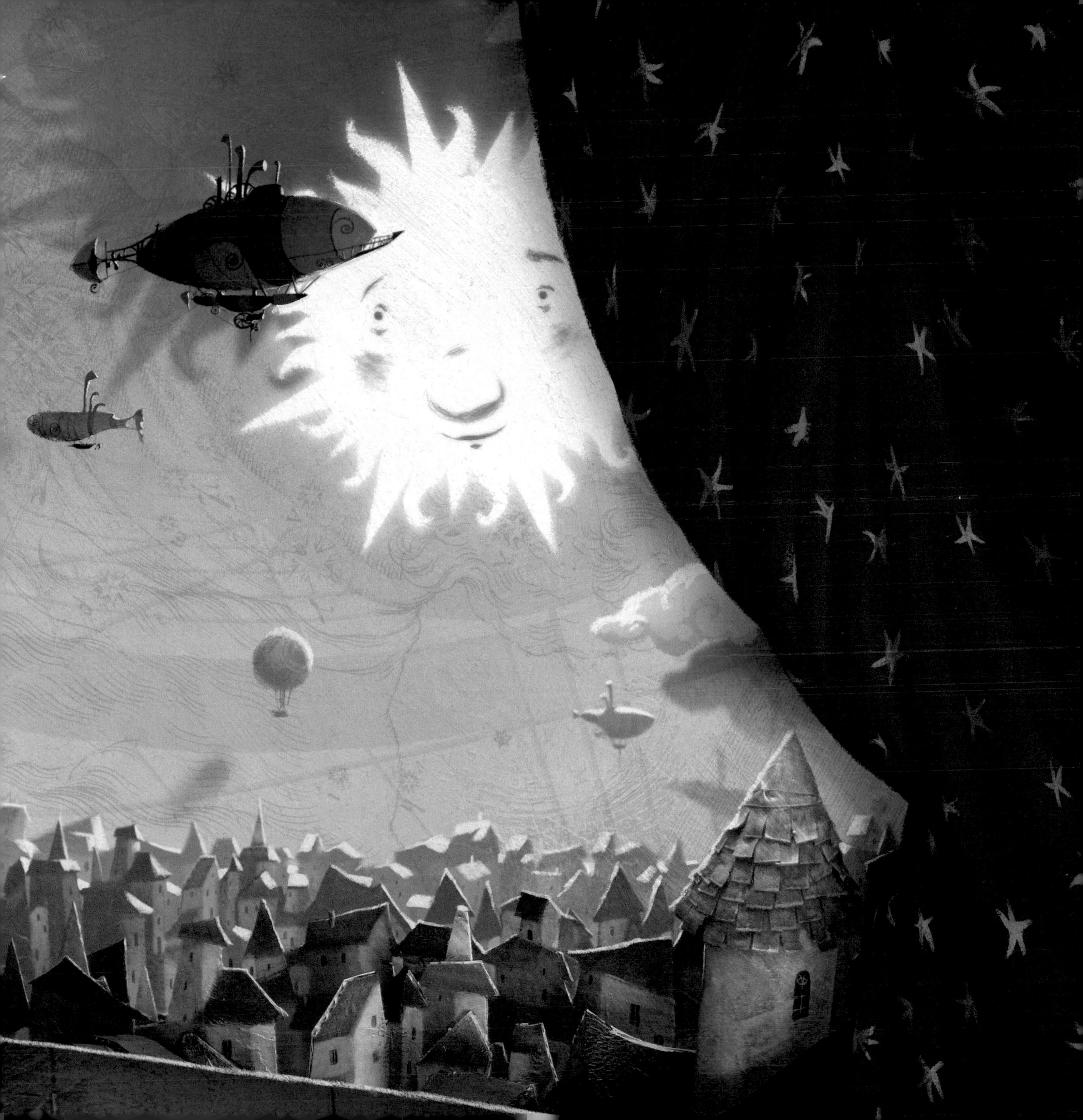

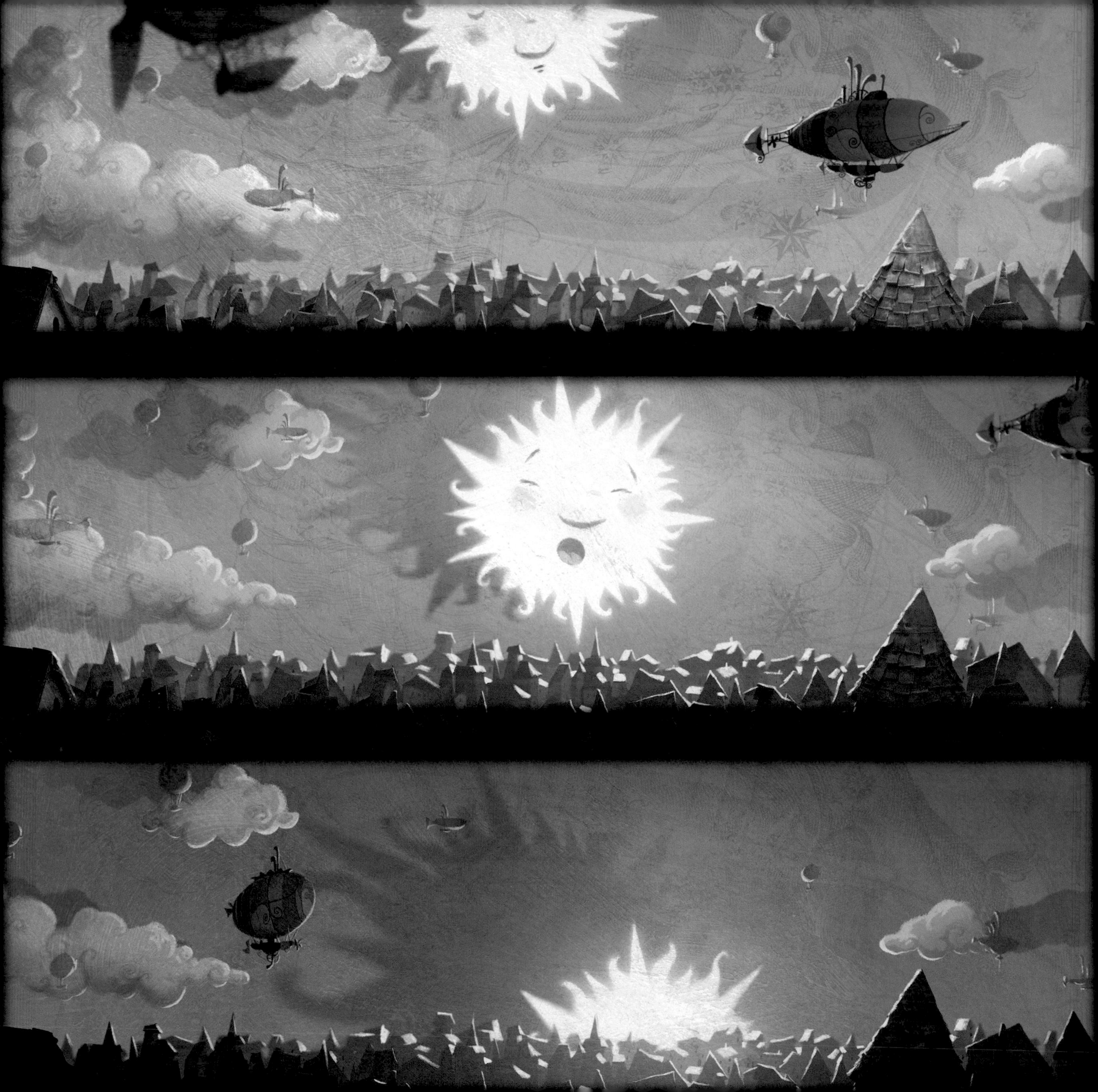

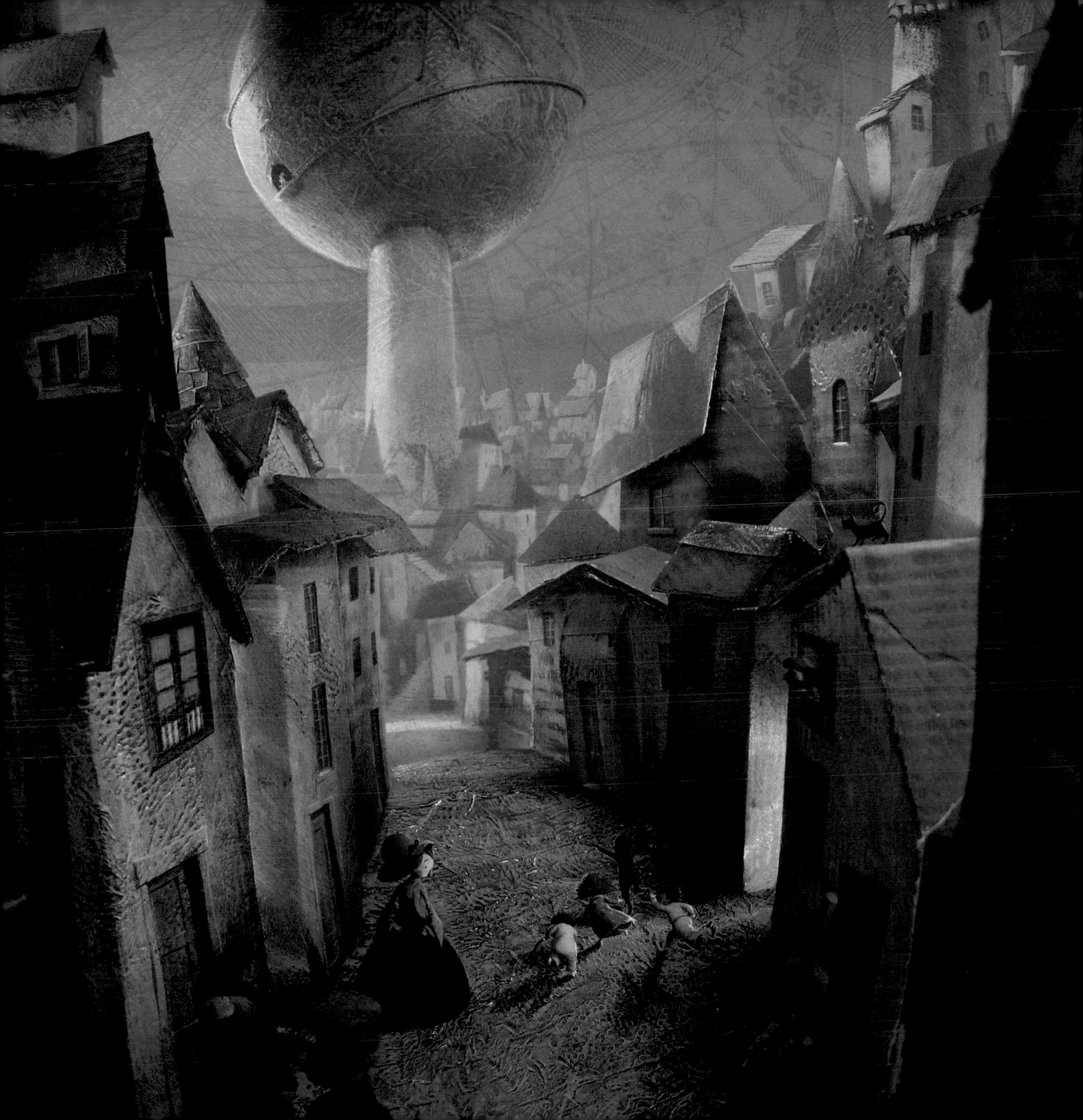

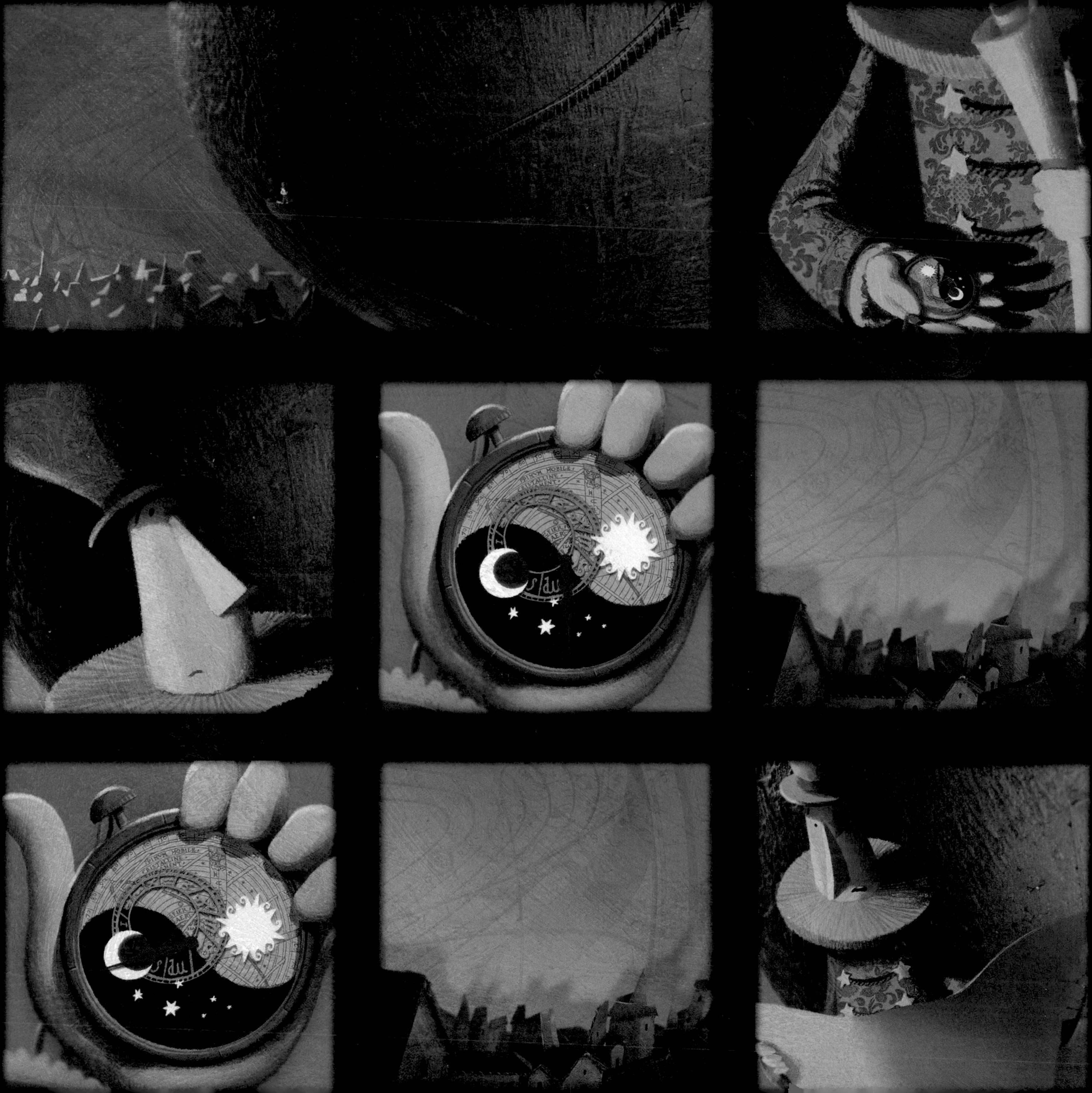

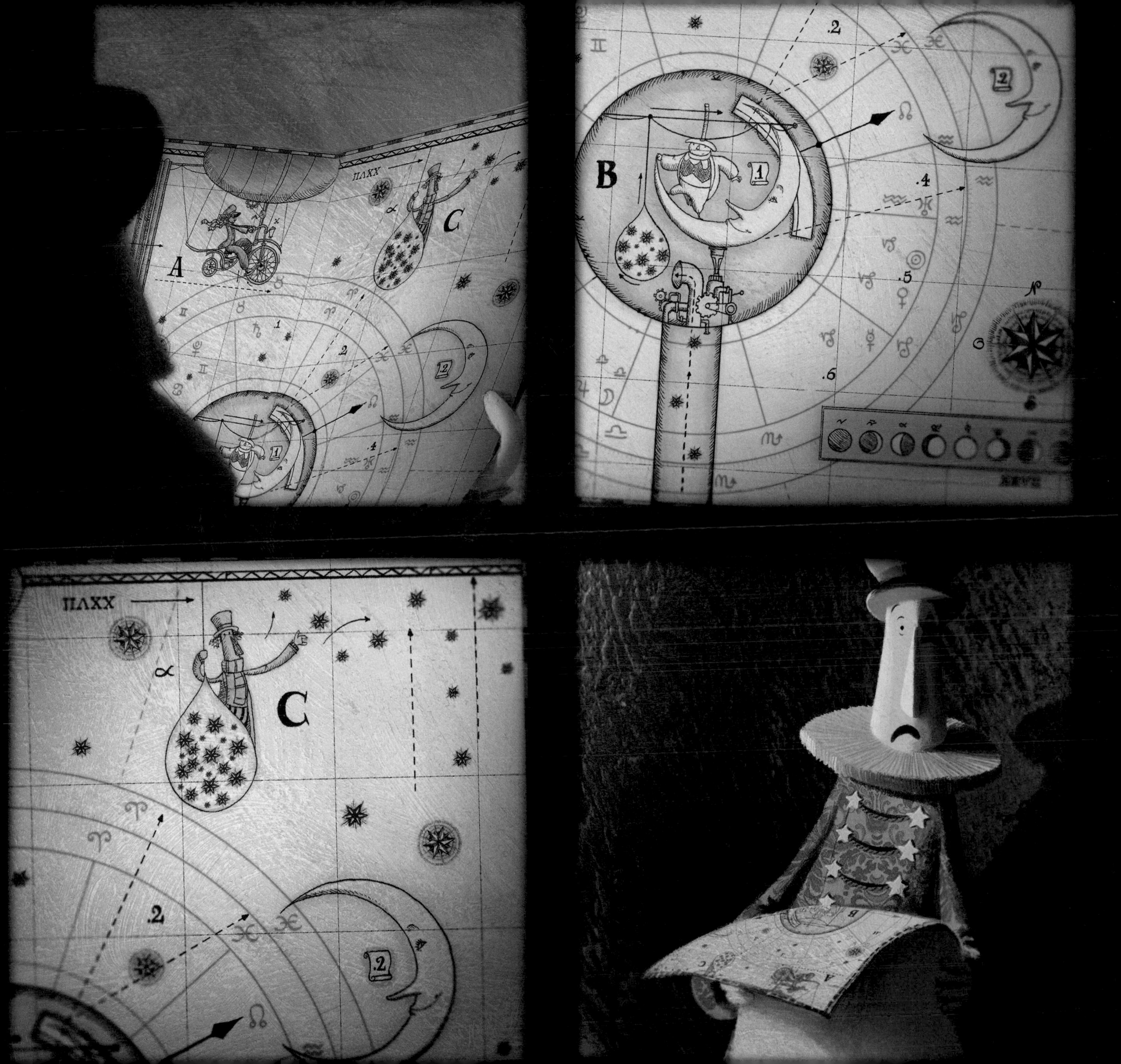
A
B
C
.2
.4
.5
.6

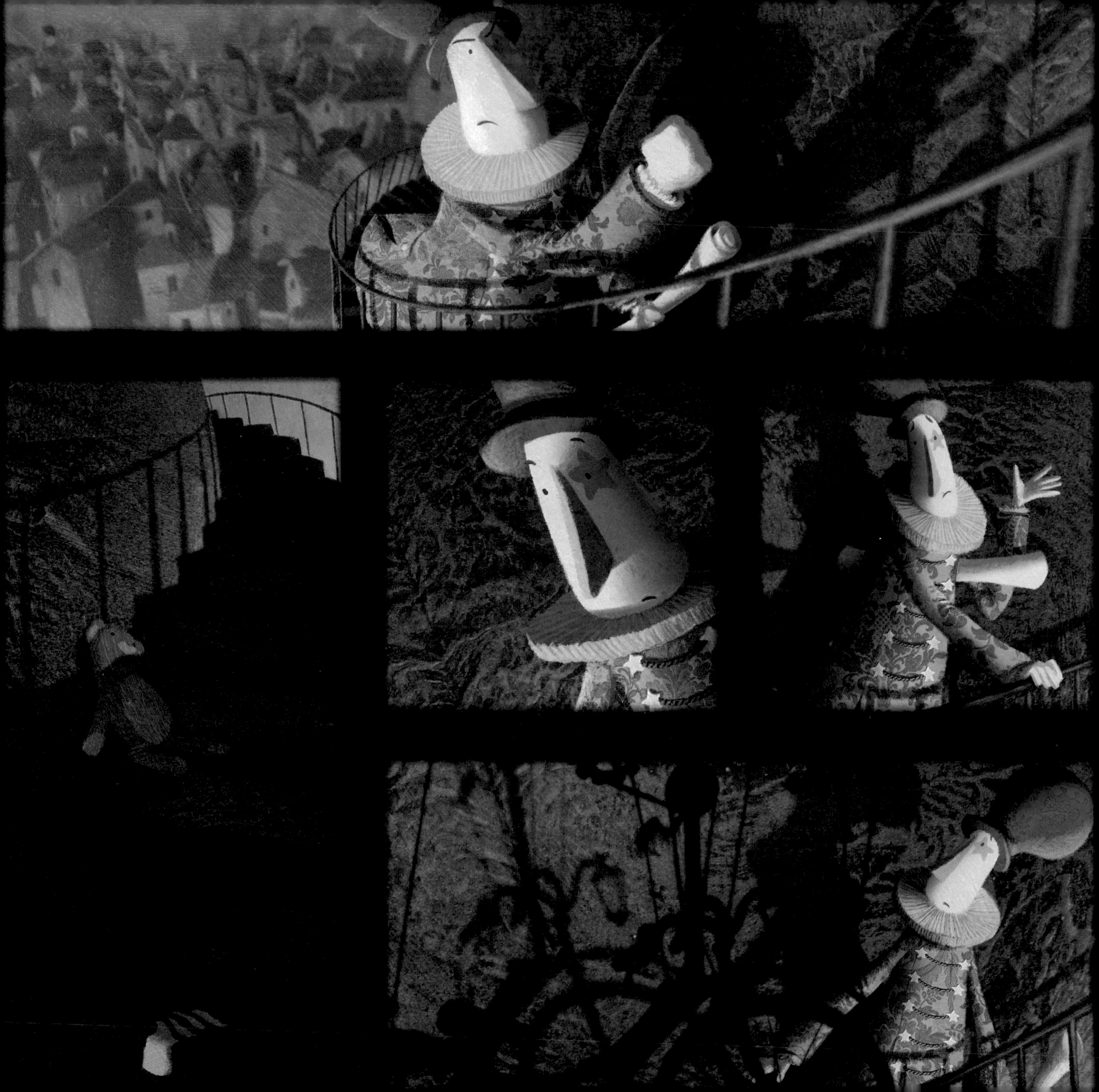

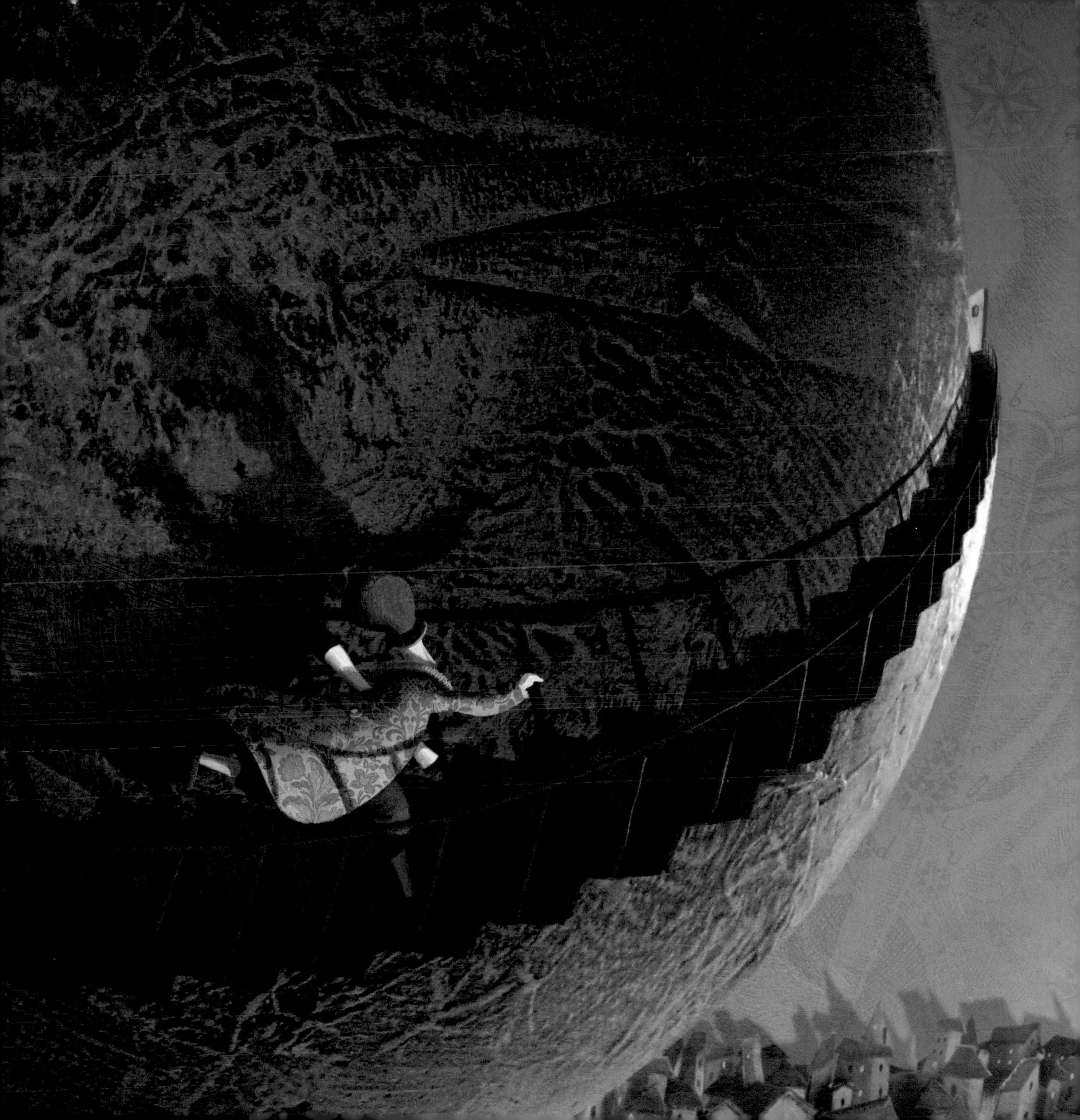

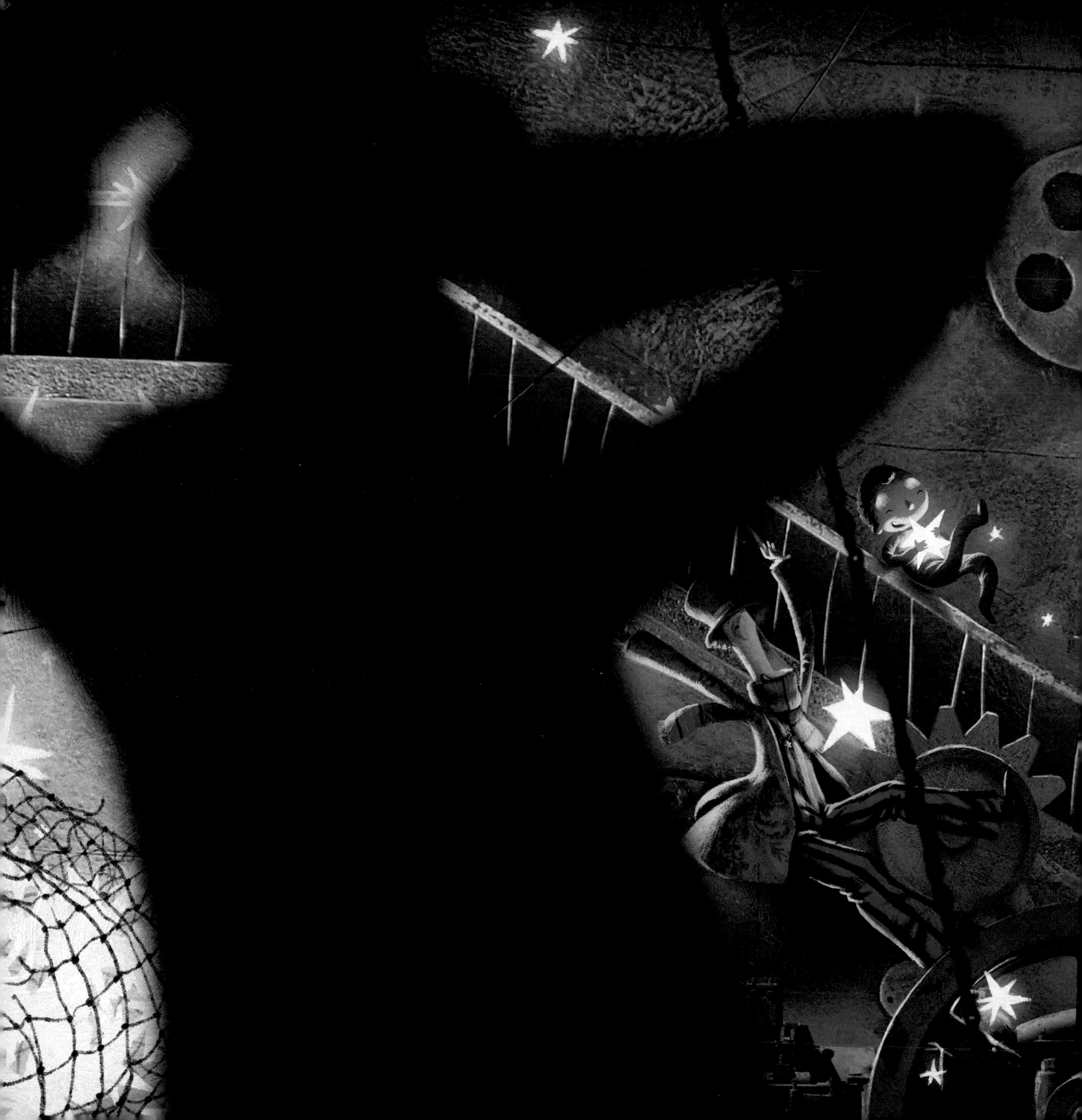

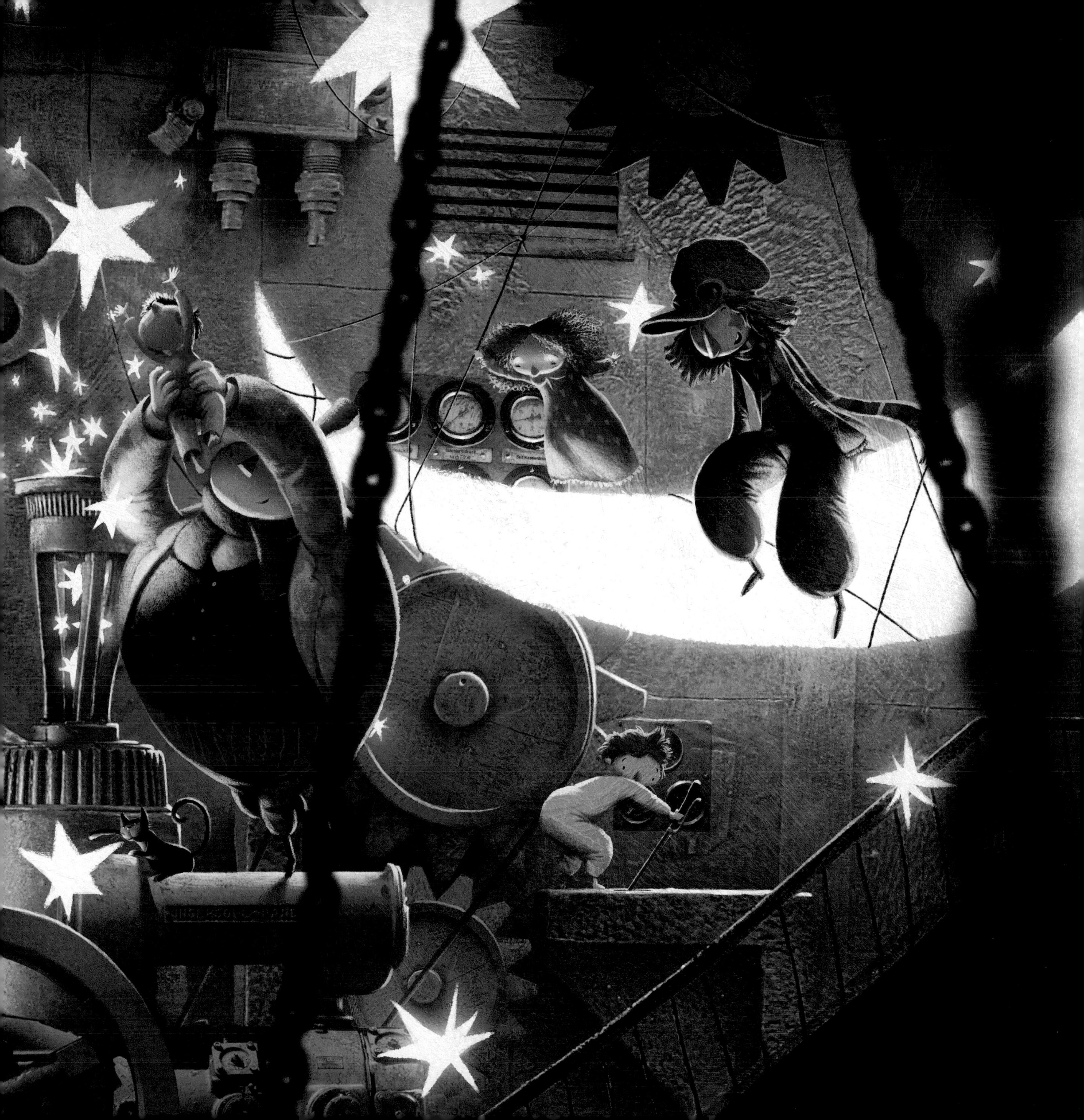

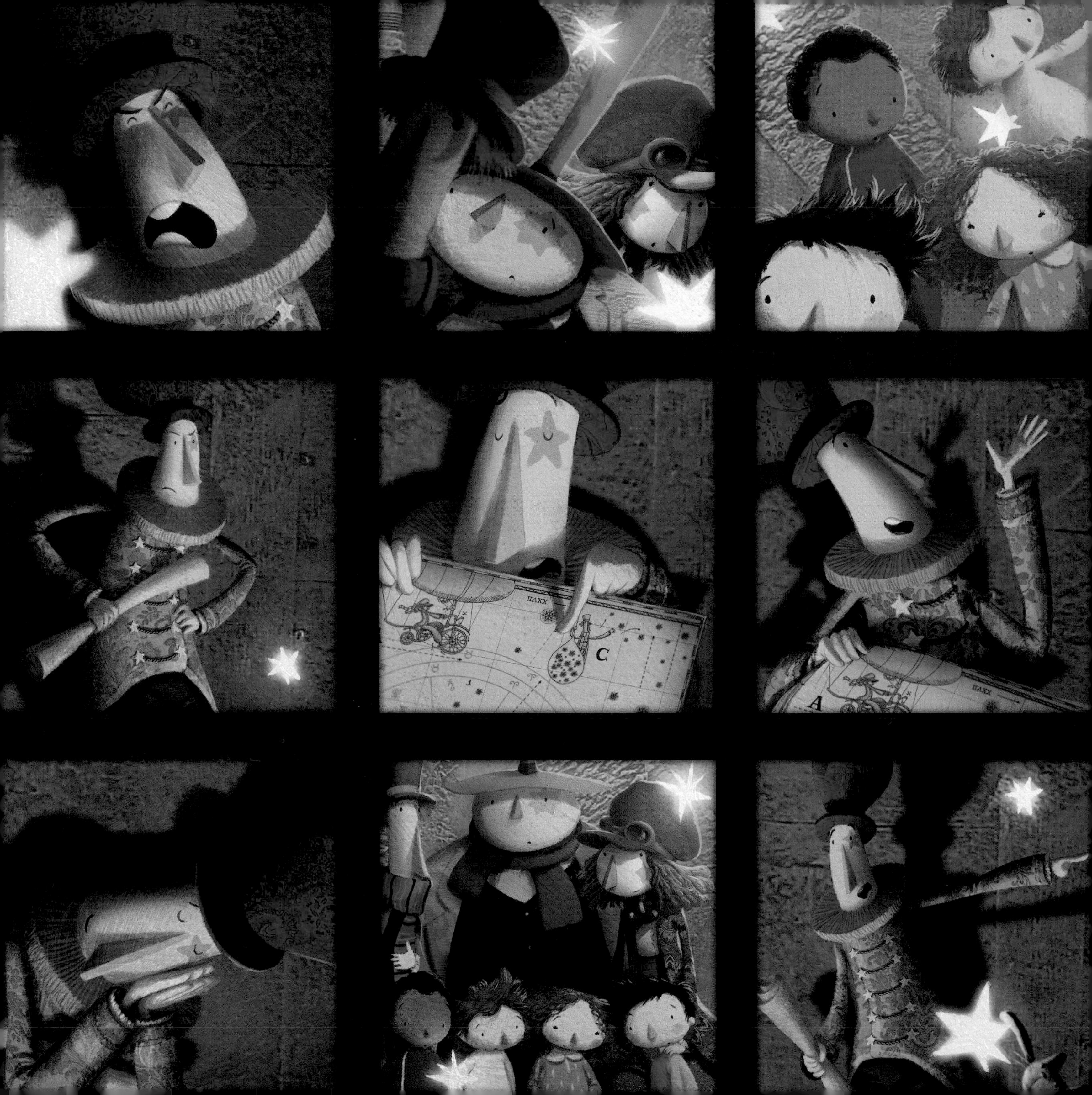
C
A

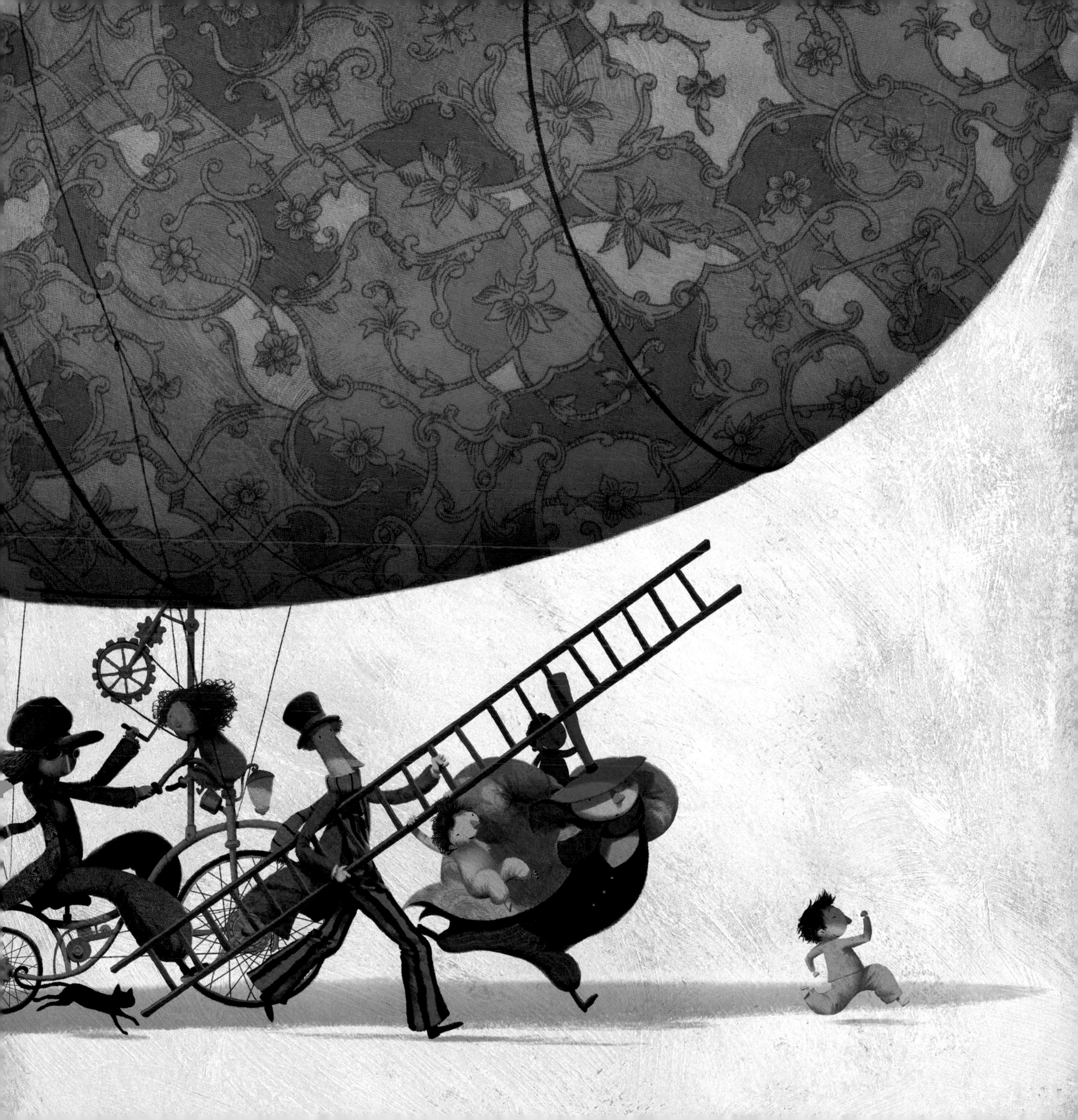

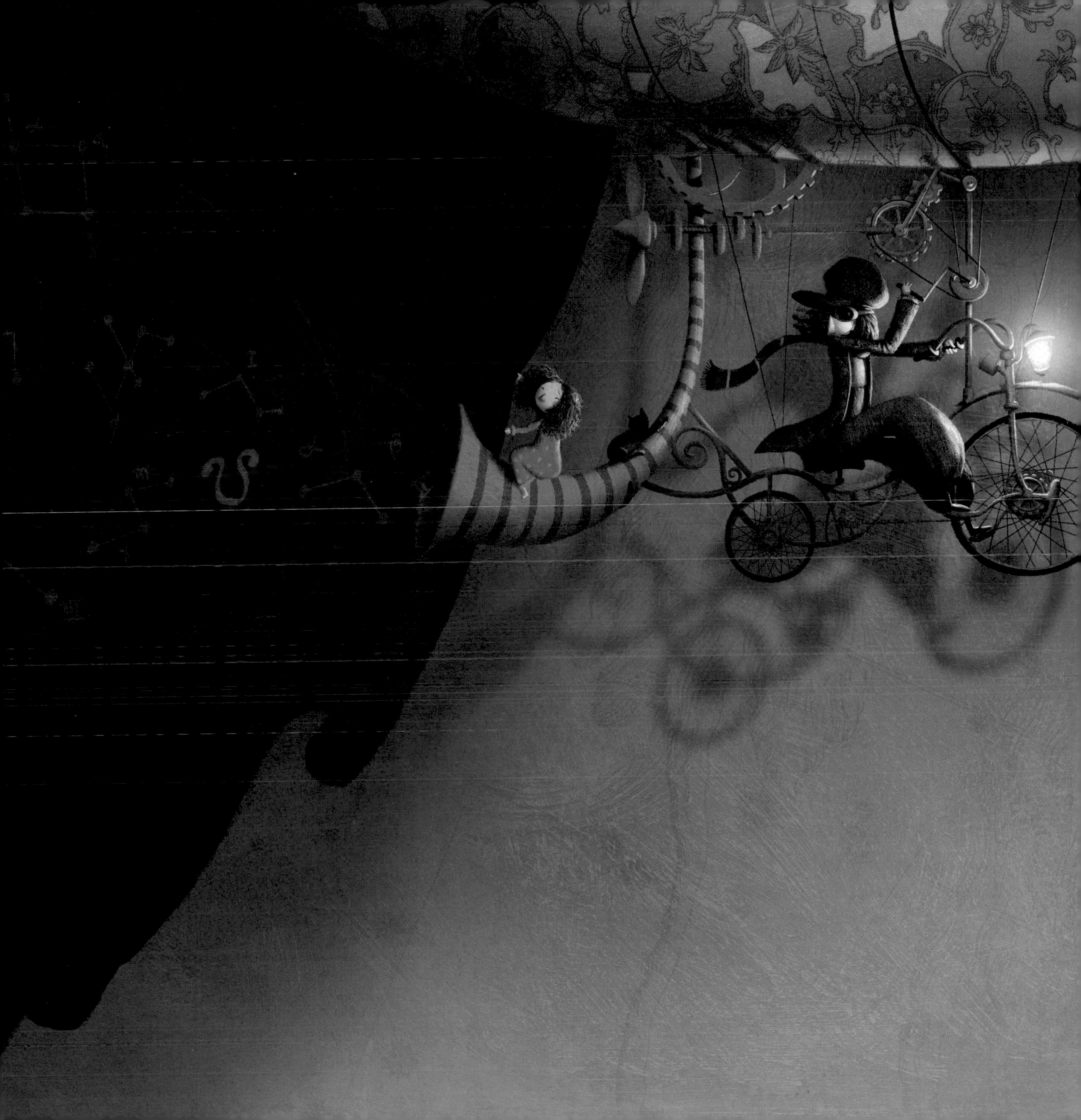

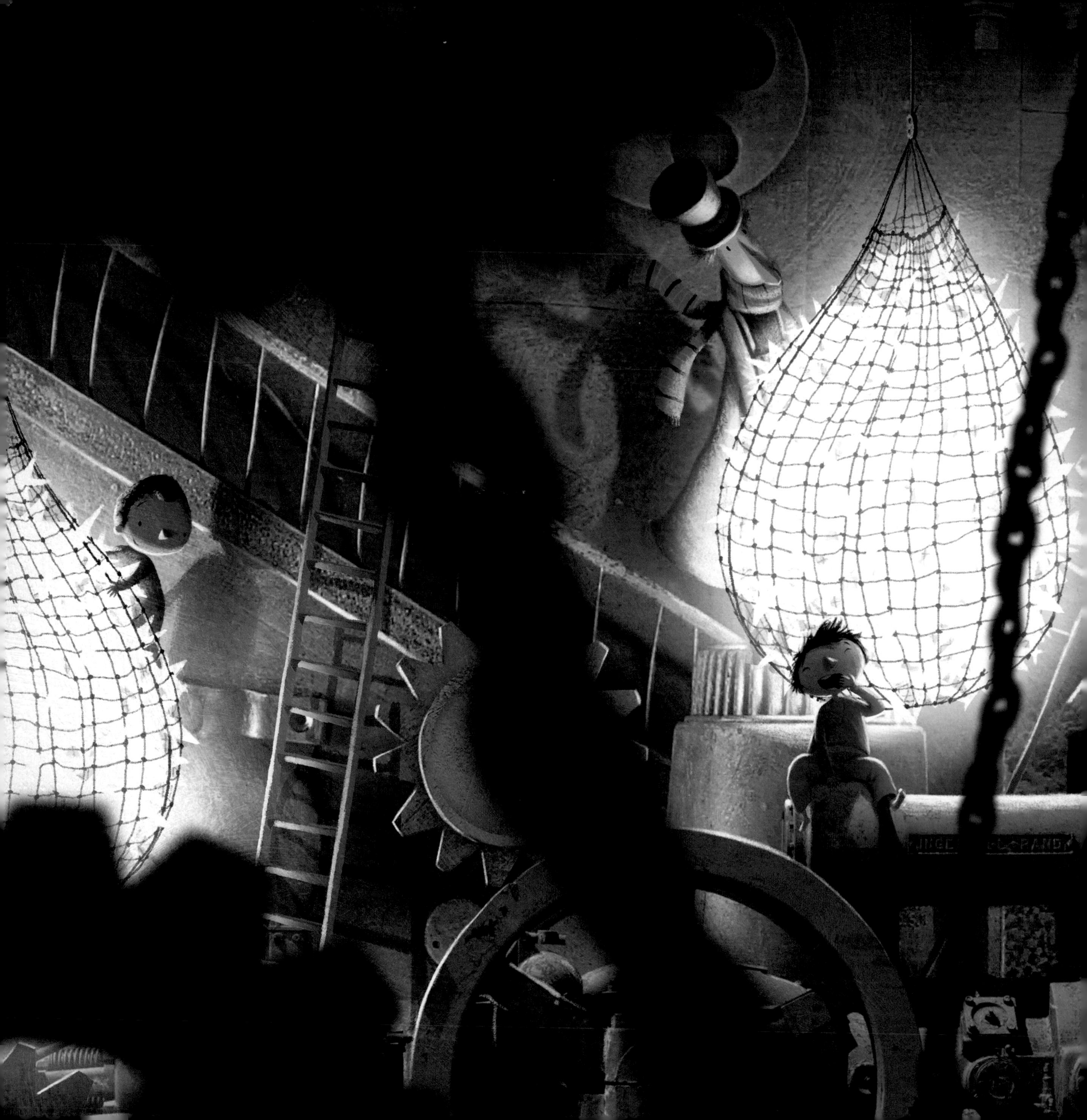

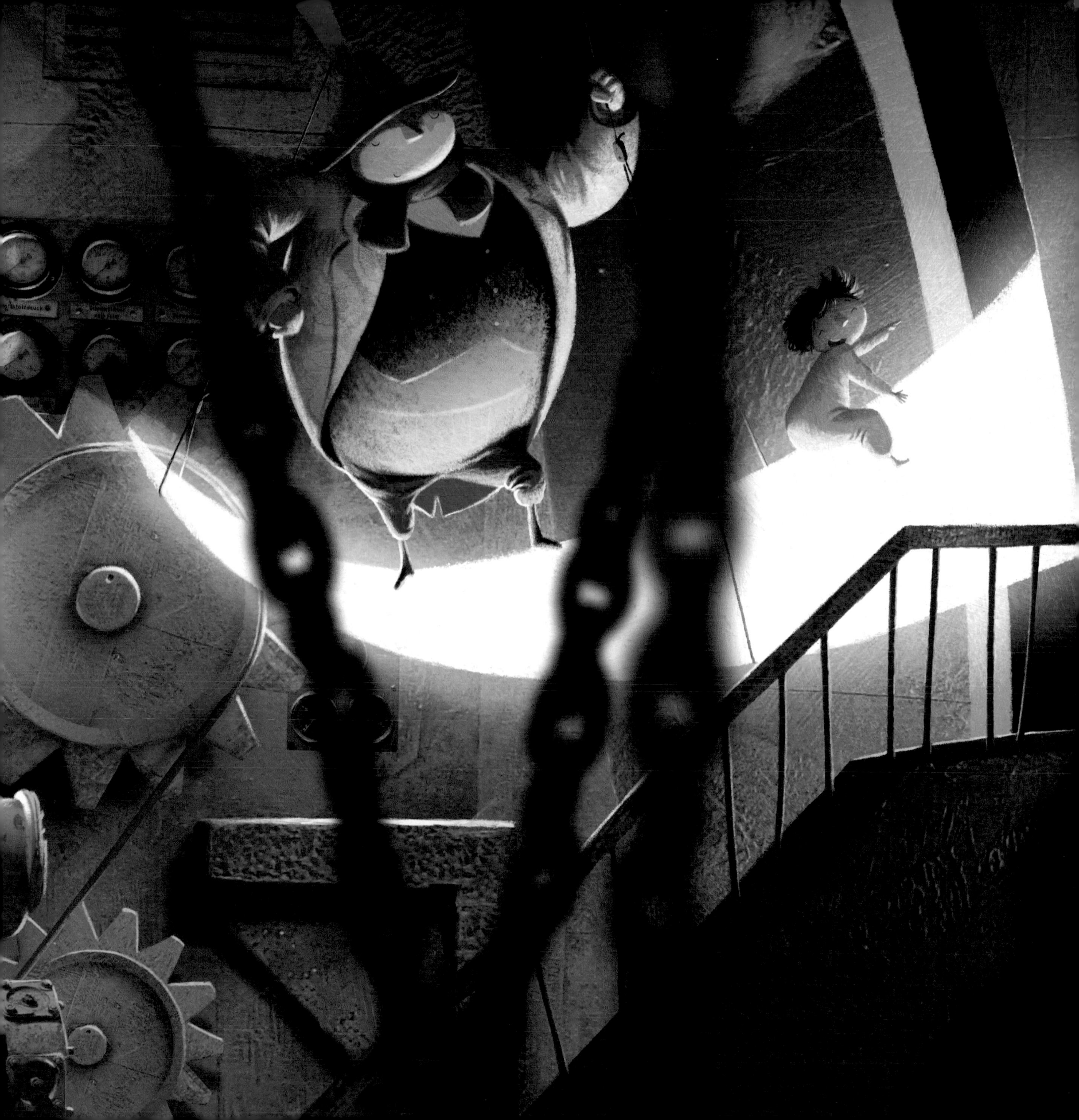

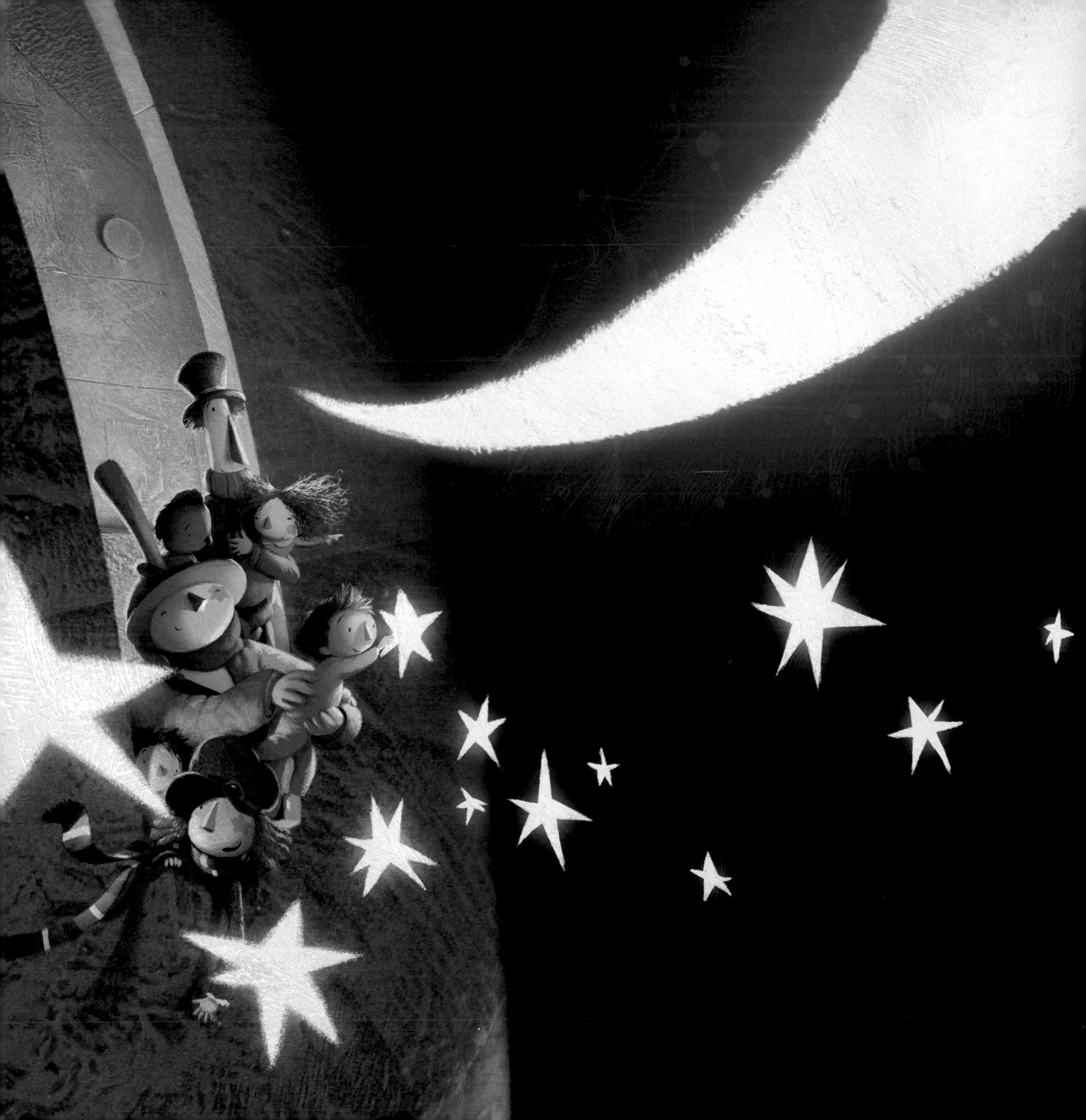

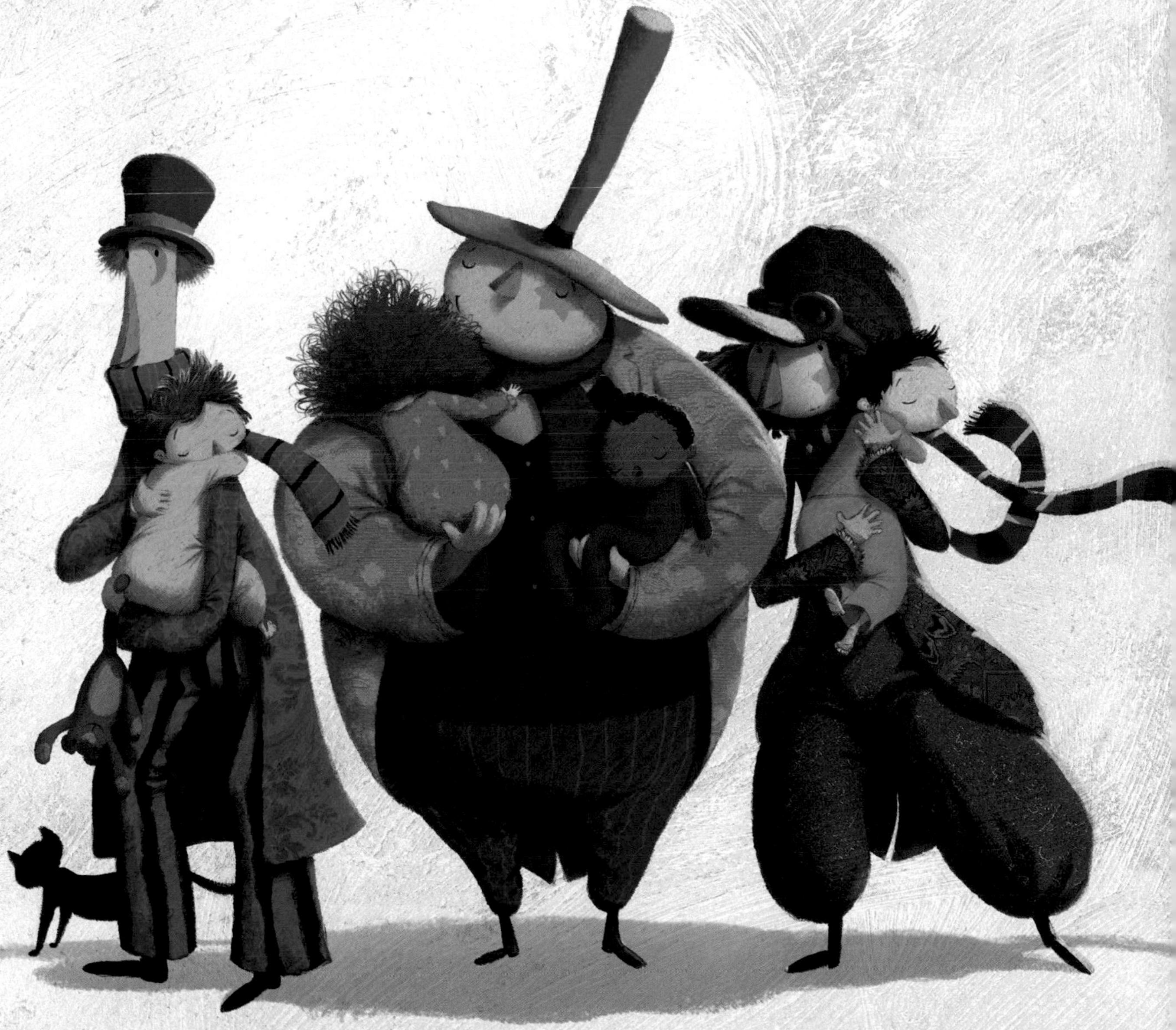

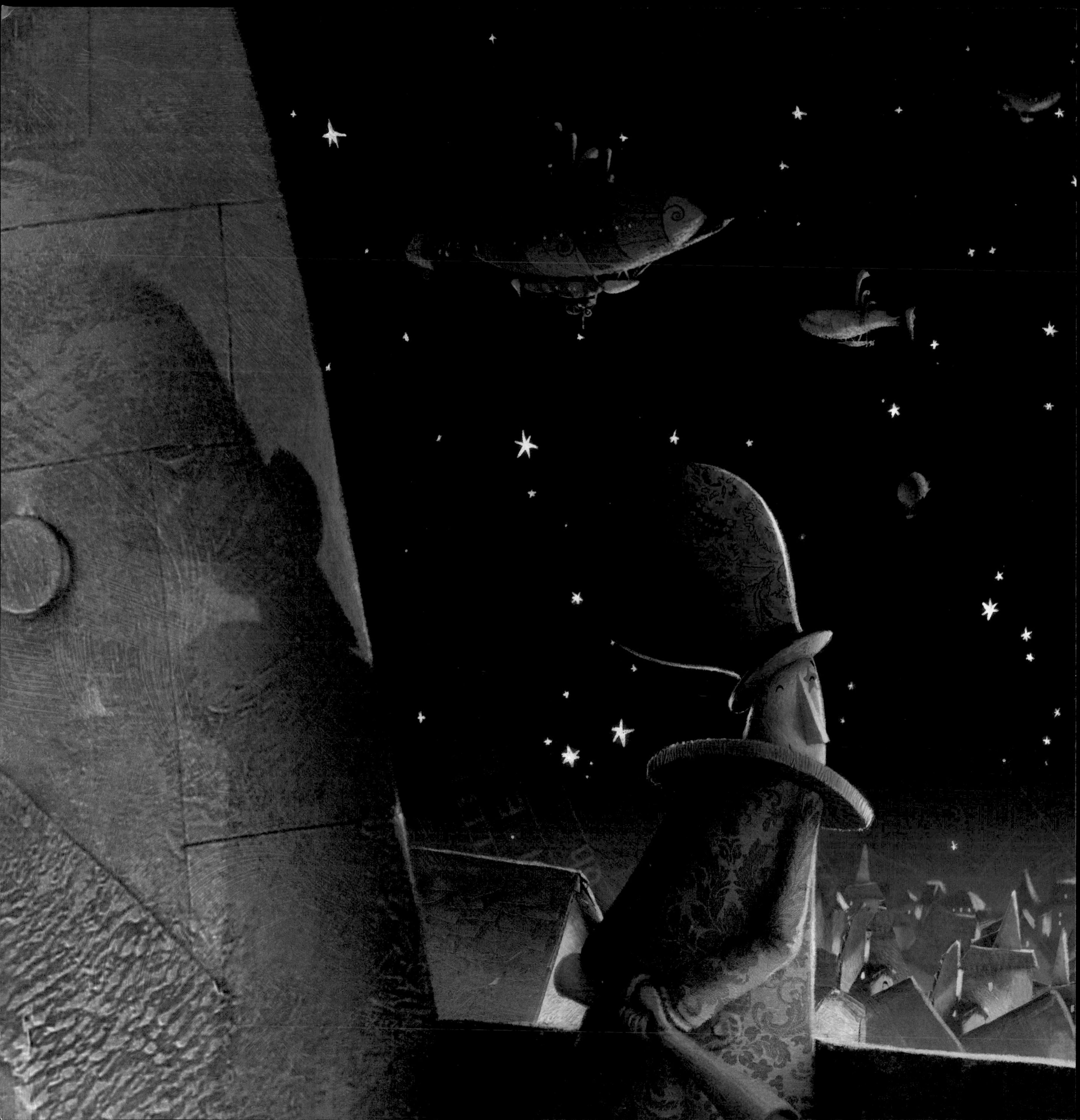

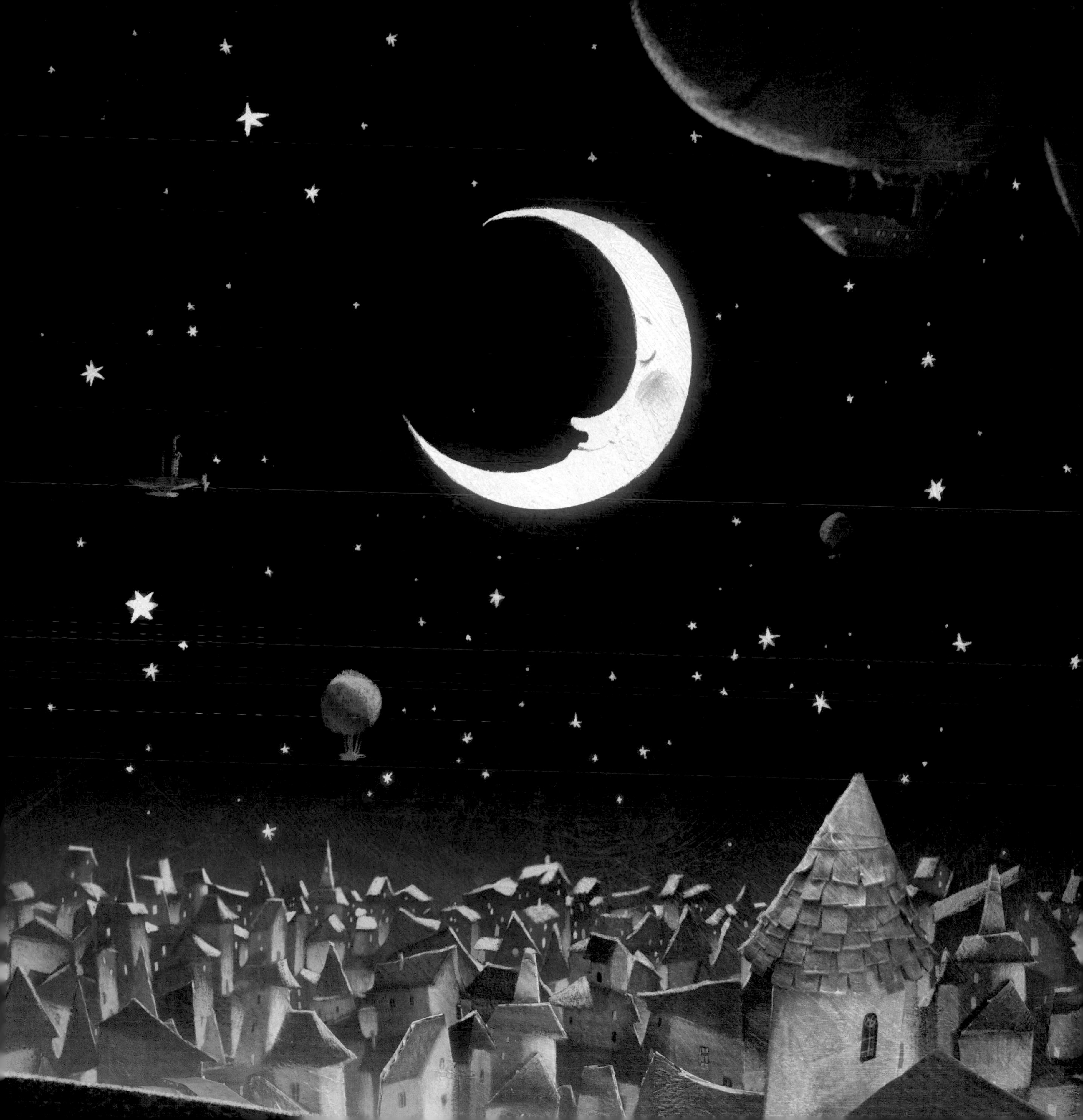

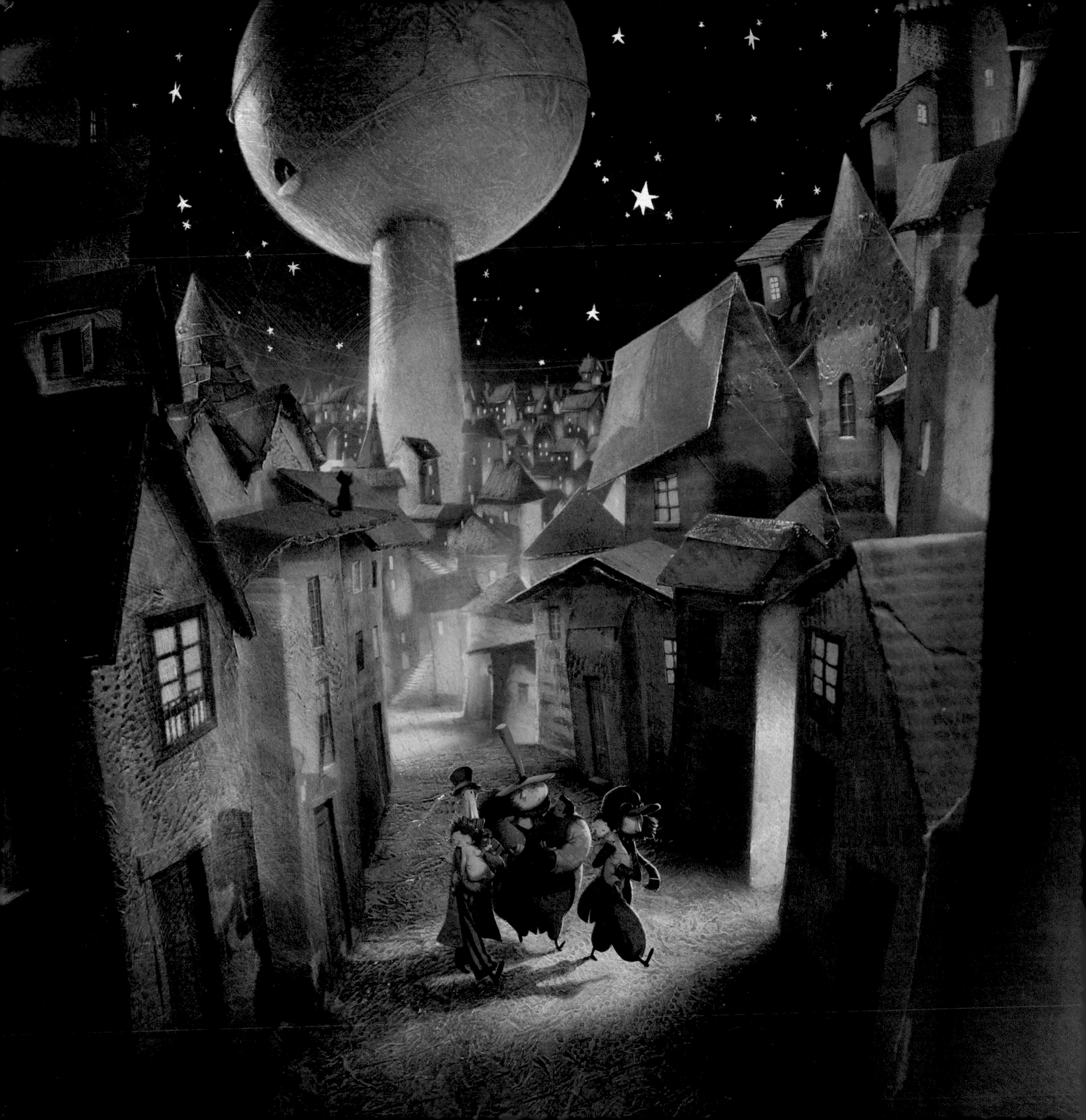

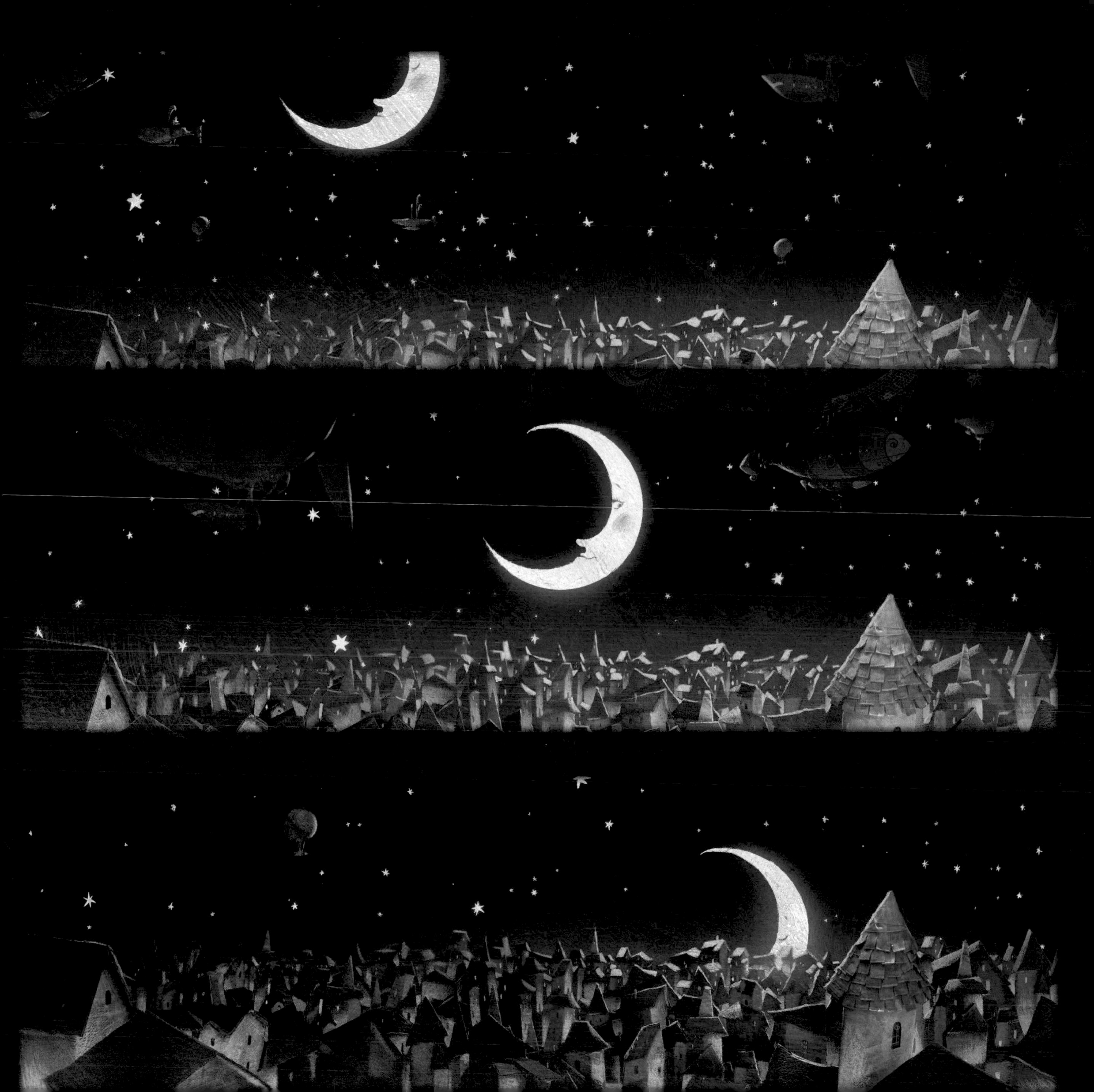

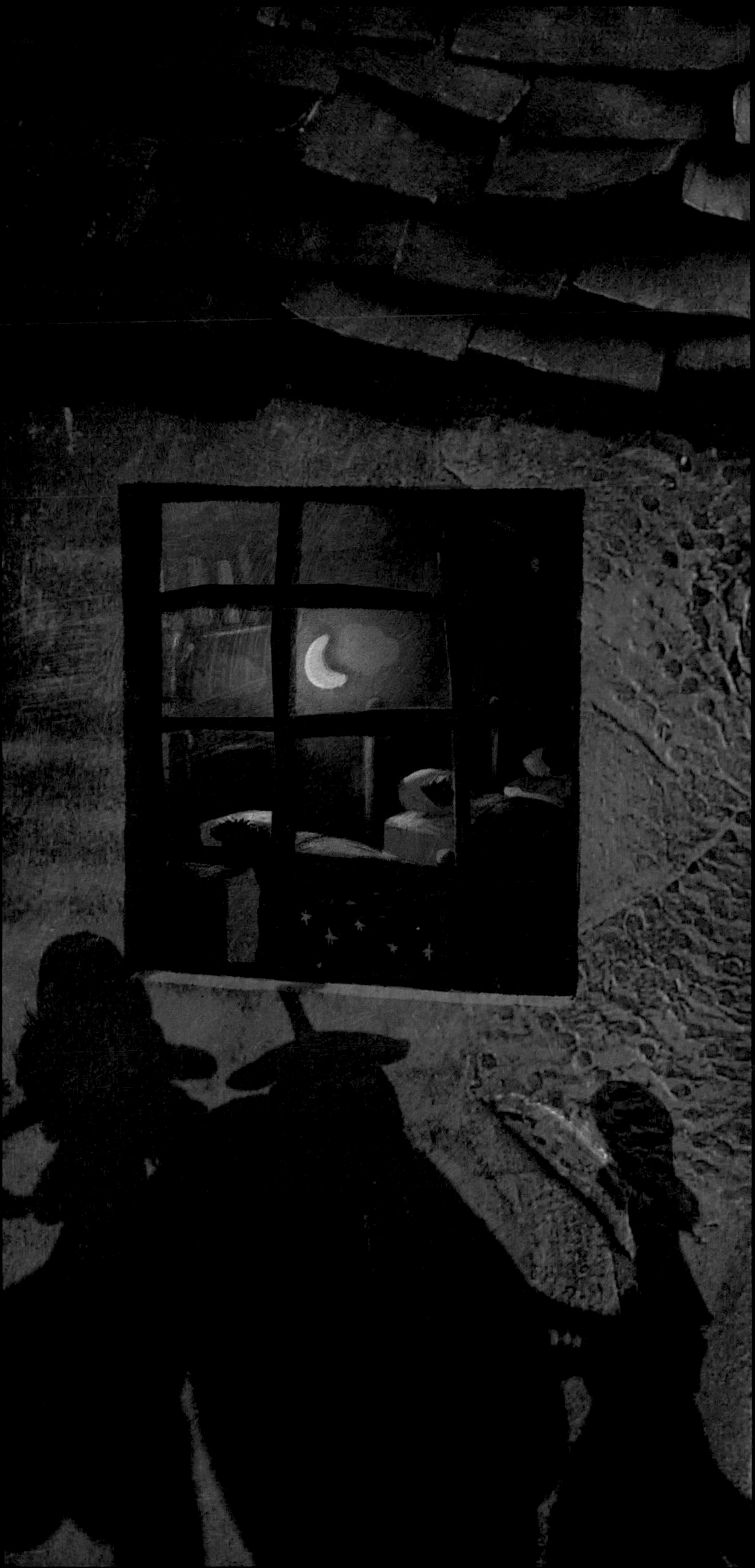
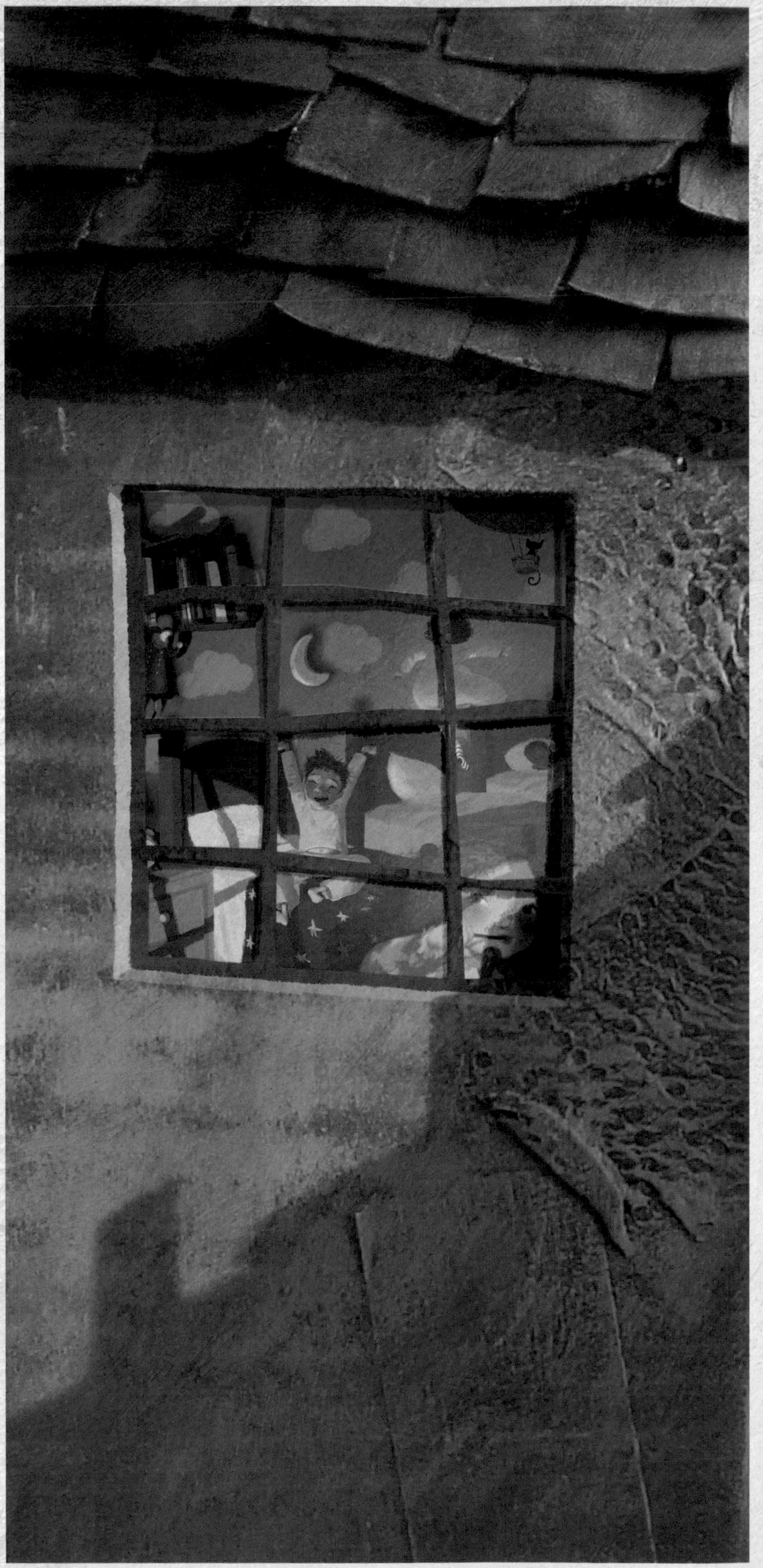

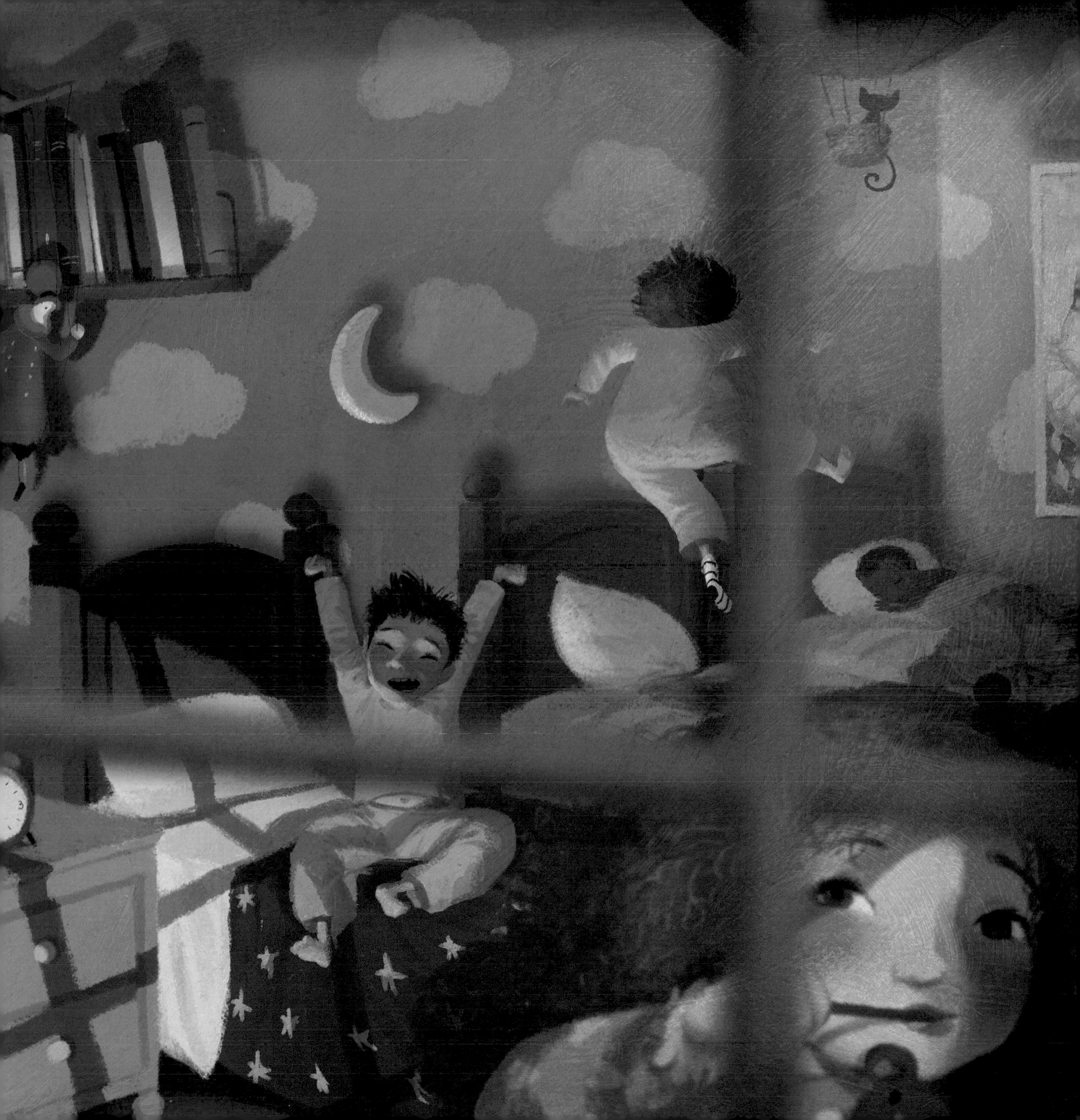

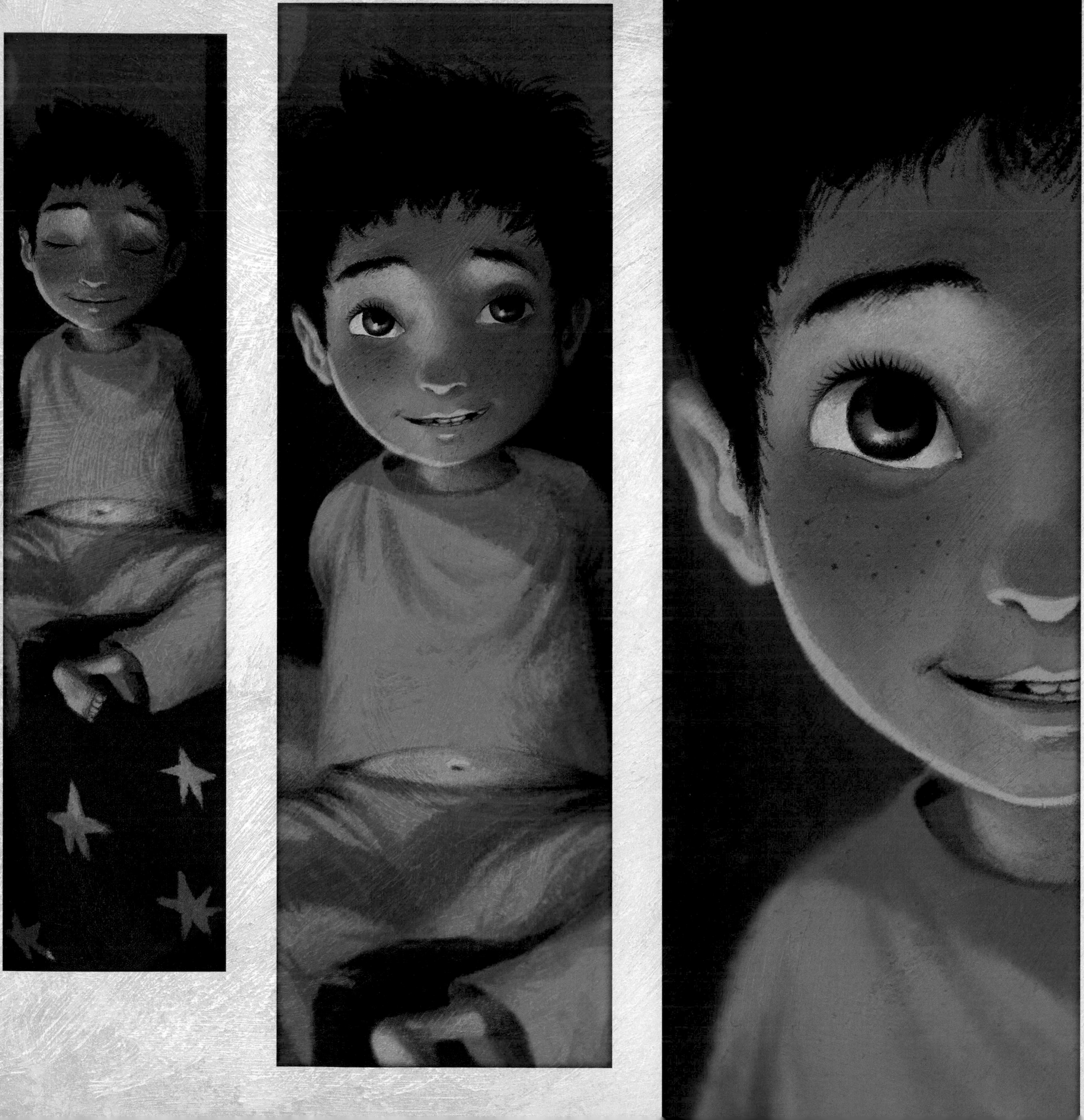

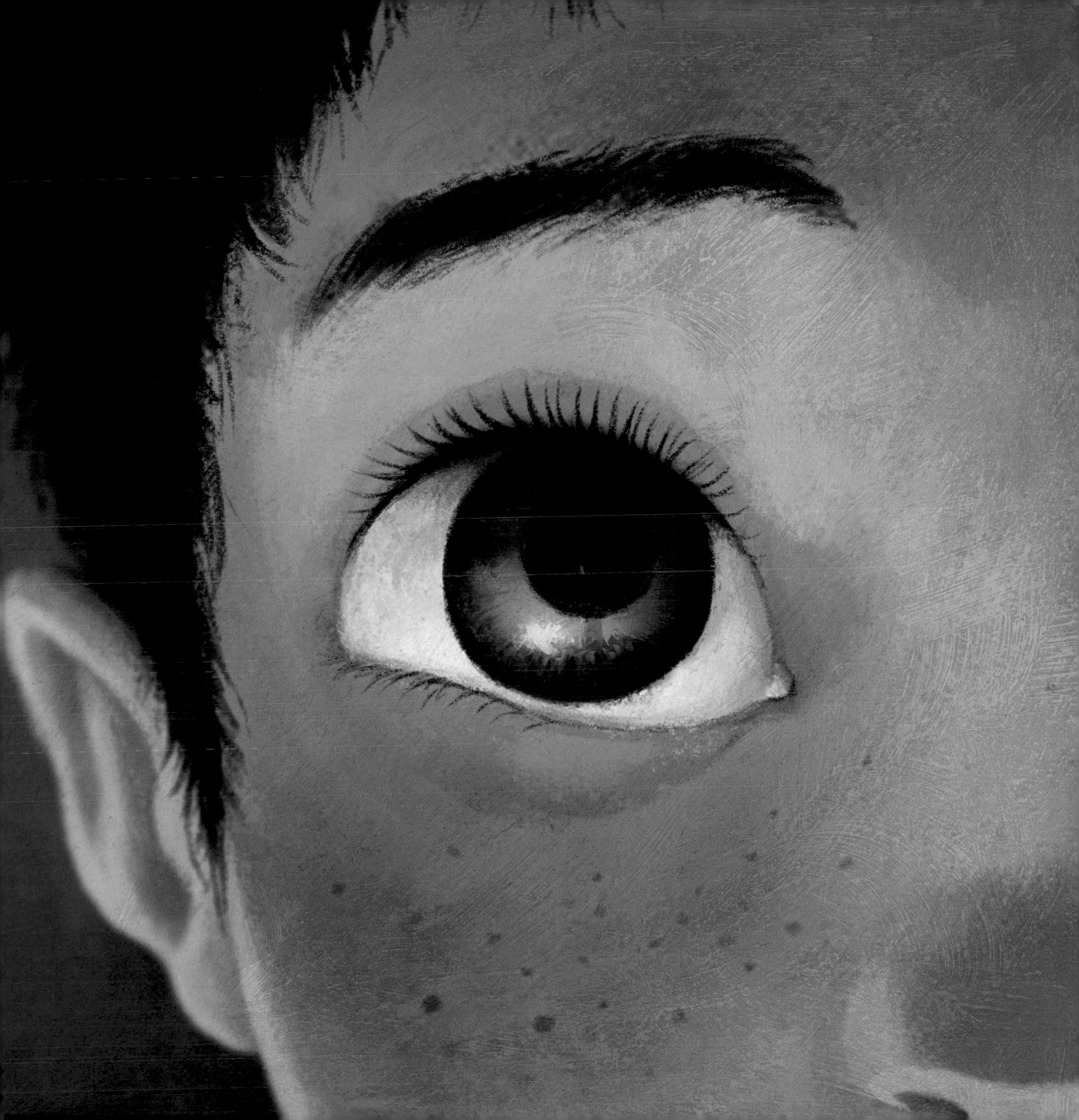

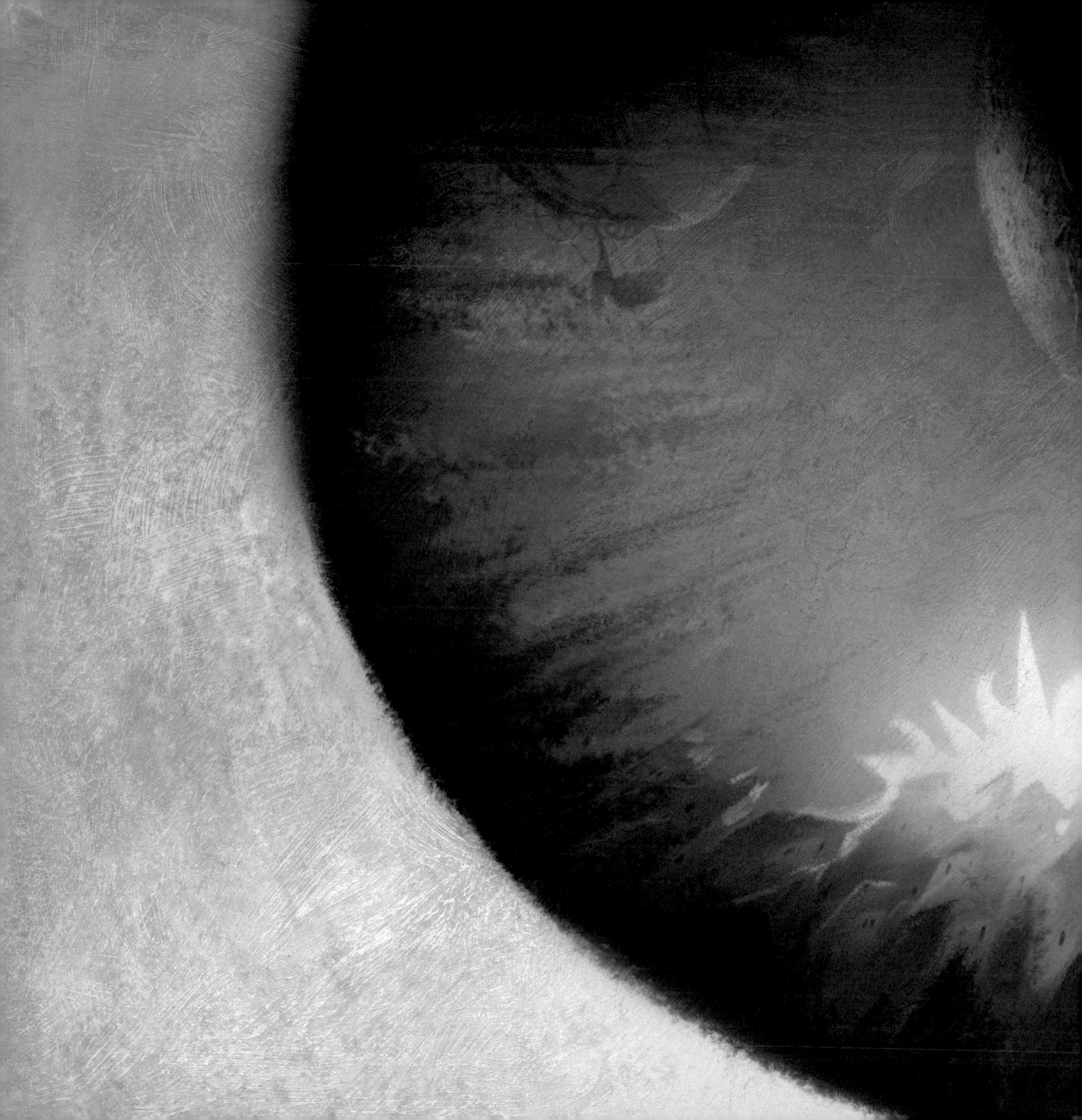

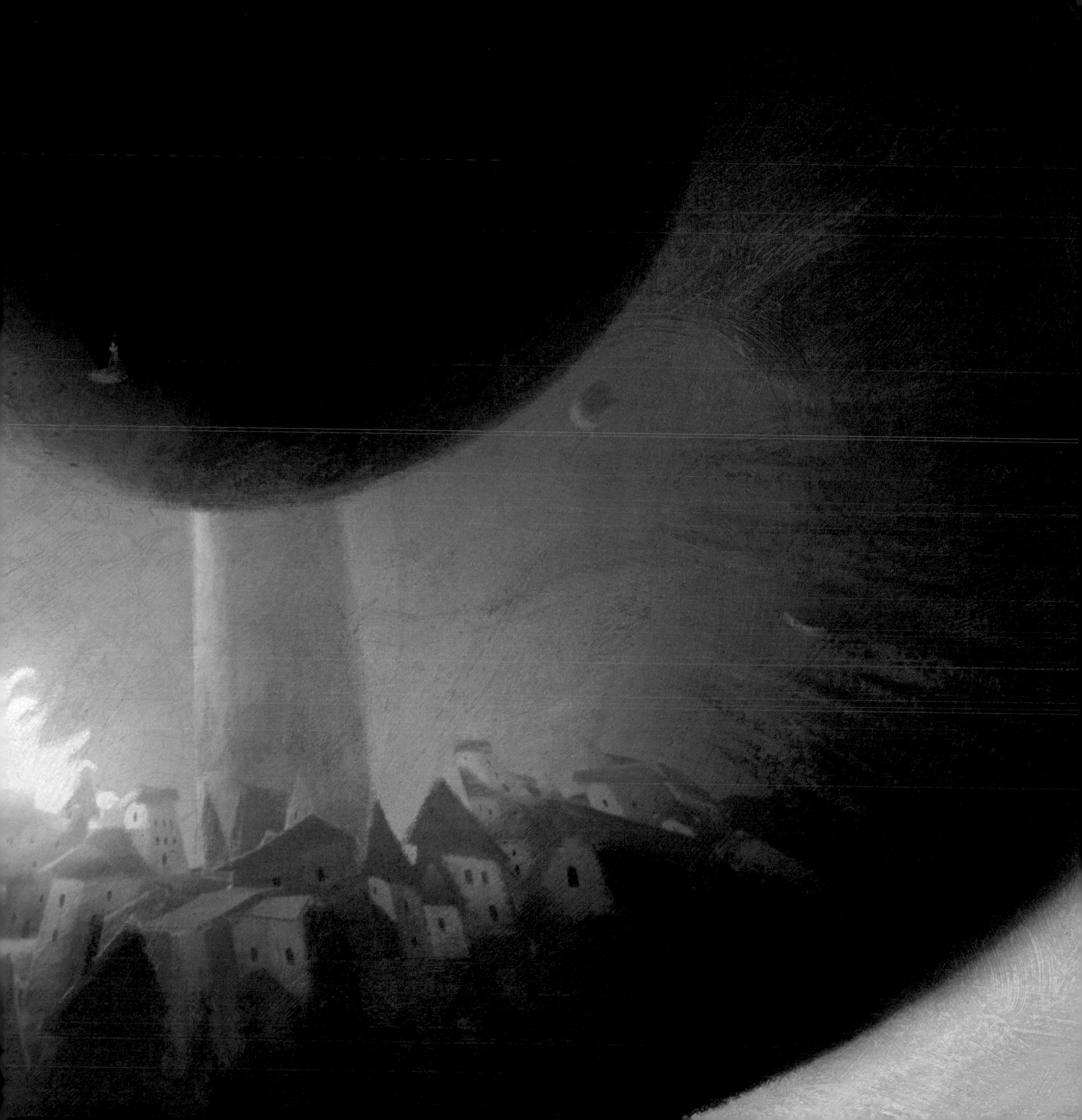

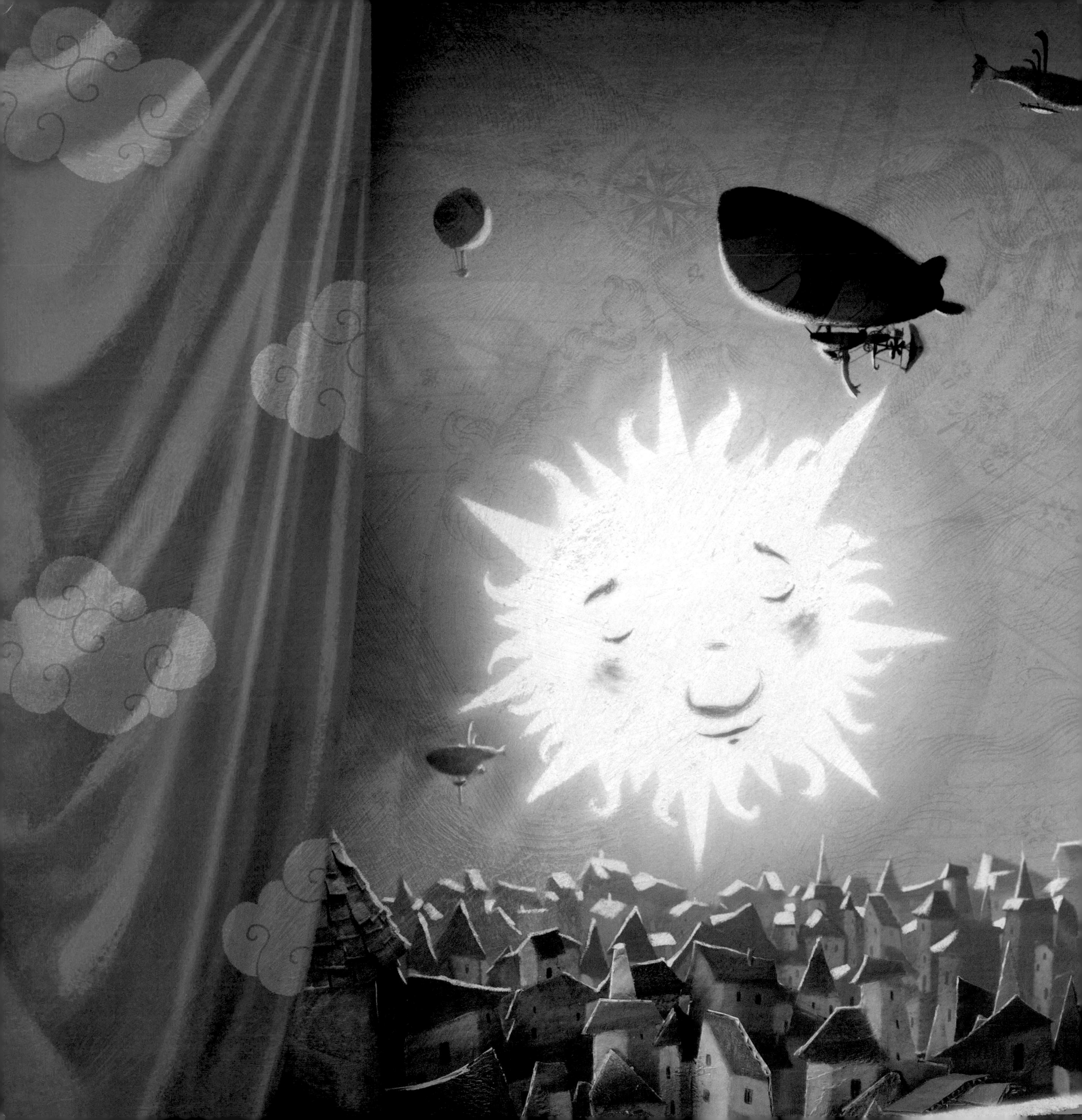

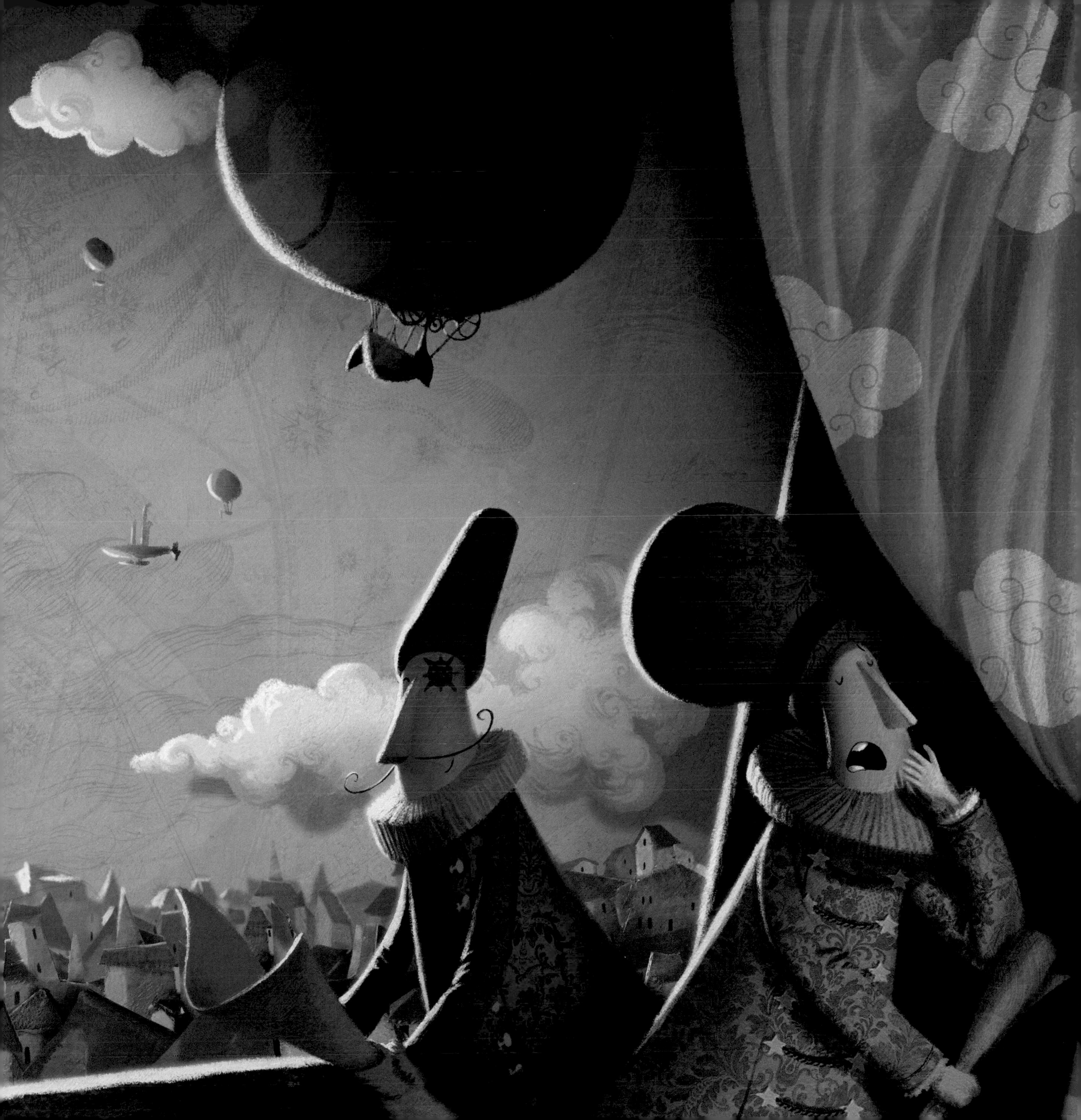

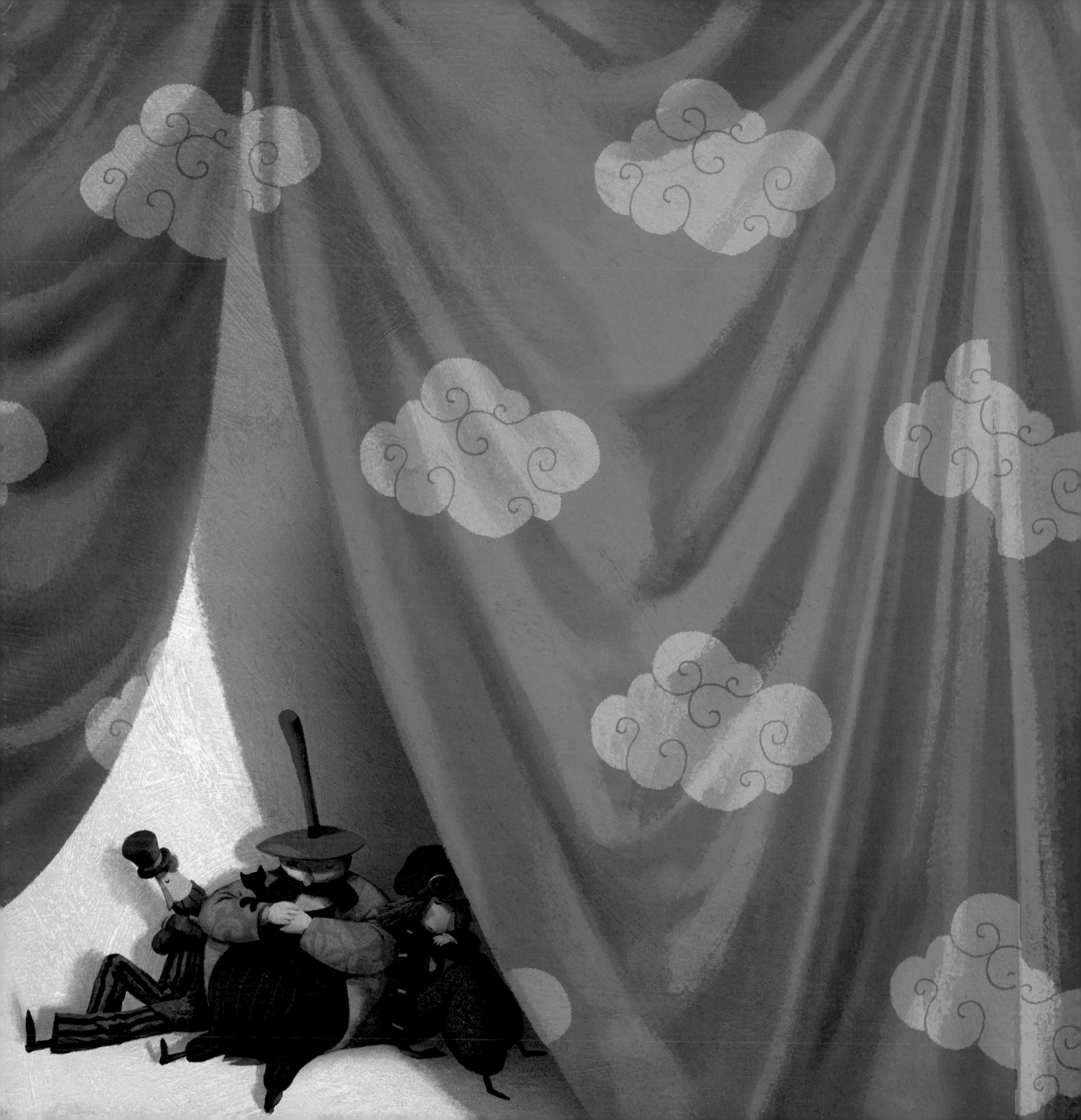